De Pimpernel

Noëlla Elpers

De Pimpernel

Met illustraties van Els van Egeraat

Van Goor

Voor Anna

Met de steun van de Stichting Fonds voor de Letteren en
van het Vlaams Fonds voor de Letteren

ISBN 90 00 03699 2
NUR 282
© 2005 Uitgeverij Van Goor
Unieboek BV, postbus 97, 3990 DB Houten

www.van-goor.nl
www.unieboek.nl
www.kapersnest.be (info Noëlla Elpers)

tekst Noëlla Elpers
illustraties Els van Egeraat
omslagontwerp Marieke Oele
zetwerk binnenwerk Mat-Zet, Soest

Inhoud

Gringo was van jongs af aan een kater met stijl. Hij werd met een smoking geboren.

Een smoking is een zwart feestkostuum voor heren. Ze dragen dat kostuum met een hagelwit hemd en een strikje.

Heren dragen hun smoking alleen bij bijzondere gelegenheden. Gringo droeg zijn smoking altijd. Het pelsje van Gringo had nu eenmaal zo'n tekening. Hij droeg witte sokken en een wit hemd, voor de rest was hij zwart tot aan het puntje van zijn staart toe. Hij droeg ook een lange witte snor en een witte vlek naast zijn roze neus. Door die vlek kreeg zijn scherpe kop iets boefachtigs.

Een deftige meneer met een smoking aan ziet er dus net zo uit als Gringo, alleen draagt zo'n man nog een strikje.

Gringo was het zijne vergeten en dat maakte hem eigenlijk nog sjieker. Verstrooidheid van iemand die het zich permitteren kan.

Uit: *Gringo de Bliksemkater* (1993)

De Pimpernel

'Neirod Sreteep.'

'Sacul Ed Rethcaw.'

'Eoz Agetro!'

'Einniw Nietsrevo.'

'Hannah Lagal.'

'Hè? Hannah Lagal? Wat gek... Als je Hannah Lagal omdraait, blijft het Hannah Lagal,' zei Dorien Peeters verbluft.

'Stom,' zei Lucas De Wachter, 'daar hebben we niks aan.'

'Jij kunt niet meedoen met ons spel,' zei Zoë Ortega.

'Hoe komt dat?' vroeg Winnie Overstein. 'Waarom kan je naam niet omgedraaid worden, Hannah?'

'Mijn ouders vonden het een mooi idee,' zei Hannah.

'Wat vonden ze mooi?' vroeg Lucas.

'Mijn familienaam blijft hetzelfde als je hem omdraait, en daar zochten ze een voornaam bij die ook hetzelfde blijft. Ze vonden het leuk.'

'Leuk?' zei Dorien. 'Behoorlijk stom, als je het mij vraagt.'

'Mijn naam is een palindroom,' zei Hannah.

'Een paling-wat?' zei Lucas.

'Een palindroom is een woord dat altijd gelijk blijft,' zei Hannah, 'hoe vaak je het ook omdraait. Namen als Otto of Anna blijven ook hetzelfde.'

'Een paling-droom,' zei Lucas spottend, 'hebben je ouders

9

wel vaker van die ideeën? Ik vind het eerder een paling-nachtmerrie.'

'Je ouders moeten altijd speciaal doen, hè?' zei Dorien.

'Dat weet ik niet,' sputterde Hannah.

'Je moeder heeft in ieder geval een bijzondere smaak,' zei Zoë terwijl ze Hannah van kop tot teen opnam, 'of heb je die kleren zelf gekozen?'

'Barbiekleuren,' zei Zoë afkeurend.

'Oudroze, bordeaux en groen zijn toch geen barbiekleuren?' protesteerde Hannah.

'Een lapjesjurk en streepjeskousen,' zei Dorien. 'Je lijkt op een lappenpop. En wie knipt je haar zo?'

'Mijn moeder,' zei Hannah.

'Dacht ik al,' zei Dorien. 'Je hebt mooi blond haar. Maar waarom knipt ze het aan de achterkant zo kort? Dan krijg je een bloot kippennekje.'

'Je vader heeft ook vreemd haar,' zei Lucas. 'Hoe komt hij aan rood koperdraad dat rechtovereind staat? Steekt hij 's morgens zijn vingers in het stopcontact?'

Hannah keek van de een naar de ander. Ze zat in het nauw. Hoe kwam ze hieruit? Op een nieuwe school met een foute naam, foute kleren en foute ouders. Dat was foute boel…

Zoë en Dorien lachten spottend. Winnie keek haar mee-warig aan en Lucas wees naar Sara Vervliet die in haar een-tje tegen de muur van de speelplaats leunde. Sara was klein en spits, ze had melkboerenhondenhaar en droeg een bril-letje. Ze keek naar de punt van haar schoen waarmee ze een tegel van de speelplaats natekende.

'Ga jij Sara gezelschap houden?' zei Dorien. 'Hannah en Sara, dat klinkt goed.'

Hannah zuchtte. Het was eind maart en ze zat nu drie we-ken op deze school. Drie weken was ze voor haar klasgeno-ten nieuw en interessant geweest. Ze hadden met haar gespeeld en hun oordeel geveld. De bom was gevallen: het was voorbij.

Hannah keek naar de vijandige gezichten van Dorien, Zoë en Lucas, en de moed zakte in haar schoenen. Wat kon ze zeggen? Haar ouders verdedigen was onbegonnen werk, ze wist ook wel dat die twee er ongewoon uitzagen.

Ze zuchtte en haalde haar schouder op.

'Dan ga ik maar,' zei ze.

'Goed idee,' zei Lucas.

*

Hannah was nog maar een maand geleden verhuisd naar een wit huis dat midden in een rij andere witte huizen stond. De huizenrij met twee verdiepingen lag aan een druk stationsplein dat opnieuw werd aangelegd. Ze probeerde met de ogen van een buitenstaander naar hun huis te kijken toen ze die namiddag thuiskwam. Een bulldozer schepte zand op het plein. Ooit zou daar een bloemperk komen. Een bus kwam voorbij en liet een stofwolk na. In de verte dreunde een vrouwenstem de vertrekuren van de trein naar Amsterdam op. Hannah zuchtte: niet echt een rustige, groene omgeving. Ze keek naar het bordje boven hun deur:

DE PIMPERNEL

Die naam had haar vader in krullerige gouden letters op een blauwe ondergrond geschilderd. In de vensterbanken stonden bloembakken met voorjaarsbloeiers.

Er zijn wel meer huizen met een naam, dacht Hannah. 'Villa Roza' of 'De Zonnebloem' bijvoorbeeld. Die huizen stonden in een mooie straat iets verderop. Maar in haar hart wist ze dat een rijtjeshuis gewoonlijk geen naam kreeg.

Hannah opende de deur met haar sleutel. Haar moeder was in de ommuurde tuin aan het werk en haar vader hing in een ligstoel onder de perenboom. De bloesem van de

boom stond in de knop, het zou niet lang meer duren of hij barstte open in een witte wolk van bloemen.

Haar moeder droeg oranje huispantoffeltjes met lange punten en blauwe kwastjes, de punten wezen parmantig verschillende richtingen uit. Ze knipte zorgvuldig de verlepte narcissen tussen de struikjes weg. Rond haar voeten huppelde meneertje Pluis, Hannahs konijn. Toen hij Hannah zag, rende hij vrolijk op haar af, maar hij bleef op een veilige afstand zodat ze hem niet kon pakken. Hij sloeg zijn achterpoten hoog uit en zwenkte pijlsnel een andere kant op.

'Ben je daar, schattebol?' zei haar moeder wat afwezig.

Anna Rozenboom, dacht Hannah, die naam past echt bij mijn moeder.

Hannahs vader zat te dutten, met de oude kater Gringo boven op de krant die op zijn schoot lag.

En daar heb je Peter Peperkoek en Gringo de Bliksemkater, dacht Hannah. Peter Peperkoek, zo wordt mijn vader door vriend en vijand genoemd. Die naam past beter bij hem dan Peter Lagal.

Hannah wist hoe haar vader aan die bijnaam was gekomen. Anna was hem zo gaan noemen nadat ze werd voorgesteld aan Peters moeder, een klein vrouwtje met een huid van roze porselein, spierwit haar en een hoog stemmetje.

'Mijn Petertje heeft een peperkoekenhartje. Daar heb je het mee getroffen, Annaatje,' zei ze.

De moeder van Peter sprak vaak met verkleinwoorden, dat maakte wat ze zei iets minder scherp. Zo had ze tegen Peter gezegd nadat Anna die eerste keer de deur uit was: 'Jouw Annaatje is een mooi meisje maar haar neusje is te groot. Jouw neus trouwens ook, Petertje. Een neusverkleining is maar een kleine ingreep. Waarom laten jullie dat niet doen, schat?'

Anna begon Peter plagend Peter Peperkoek te noemen na

dat eerste bezoek aan zijn moeder, en de naam was gebleven. De moeder van Peter werd na de geboorte van Hannah vanzelfsprekend oma Peperkoek.

Hannah bekeek de oude huiskat die op de schoot van haar vader zat aandachtig.

Gringo de Bliksemkater, dacht ze, die naam heeft zijn kracht verloren. Deze slaapmuts is de bliksemse kater van vroeger niet meer.

Gringo had nog steeds een smoking aan. Hij was zwart met een wit hemdje, een witte neus en witte sokken. En hij was enorm. Gringo sliep meestal, liefst op schoot of voor de haard tot hij bijna verschroeid was. Elke dag speelde zich hetzelfde tafereeltje af als Peter probeerde de krant te lezen. Gringo sprong er onmiddellijk bovenop. Hij liep driemaal achter zijn staart aan en nestelde zich op het papier. Hij was stikjaloers op de lettertjes die de aandacht van zijn baasje wegkaapten. Als hij ging liggen keek hij triomfantelijk op naar Peter. Die had het hart niet om Gringo weg te jagen. Zo deden die twee elke dag samen een dutje. Peter wilde nadien nooit toegeven dat hij geslapen had. Overdag slapen was iets voor oude mannetjes, vond hij. Hannah verzweeg dat ze hem met zijn vierenveertig jaar ook al behoorlijk oud vond.

Gringo bewoog nog maar zelden, alleen als hij er echt zin in had. De tijd van zijn heldendom lag ver achter hem. Anna Rozenboom had de avonturen van Gringo in haar eerste kinderboek beschreven: een bang katje dat opgroeide tot een dappere, sprekende kater. Hannah had nooit geloofd dat Gringo echt kon spreken, maar Peter hield bij hoog en bij laag vol dat hij Gringo nog steeds kon verstaan. En Anna ontkende dat niet.

'Je hoort het toch?' zei Peter vaak tegen Hannah. 'Als Gringo voor zijn etensbakje staat en "i-a" zegt, bedoelt hij Whiskas. Hij spreekt natuurlijk wel kattentaal en die moet je leren begrijpen.'

'Als Gringo "prrt" zegt, bedoelt hij mij,' zei Anna.

Dat was waar. Hannah had dat al vaak gehoord. Gringo zei 'prrt' en dan keek hij verliefd op naar Anna. Die twee waren een stel.

'Tegen jou zegt hij "a-a",' zei Peter.

Dat was ook waar. 'A-a' betekende Hannah.

Maar een kat die kattentaal kon spreken, bleef een kat.

Als Hannah wel eens vroeg waarom ze geen zus of broer had zoals andere kinderen in de klas, antwoordde haar moeder steevast: 'Je hebt toch al een broertje, schattebol? Gringo is je broer. Je hebt een broer met een pelsje.'

Hoe graag Hannah Gringo ook zag, ze kon de oude kat toch niet beschouwen als een broer?

En je kon nog wel met Gringo spelen, maar hij was snel moe.

Gringo de Bliksemkater, dacht Hannah terwijl ze naar het slapende dier keek, we kunnen hem beter Gringo de Stoofkat noemen.

Peter schrok op toen hij Hannahs blik op zich voelde rusten. Hij sperde zijn ogen wijd open om te doen alsof hij klaarwakker was.

'Ken je een ander woord voor zeekarbonkel?' zei hij.

Hij keek glazig voor zich uit, schreef iets in kriebelige letters op de rand van de krant en leek al geen antwoord meer te verwachten.

Hoe kun je met goed fatsoen zeggen dat je vader met gedichten schrijven zijn kost verdient? dacht Hannah. Wie zal je geloven? En dan heb ik nog een moeder die kinderboeken schrijft en in een bloemenstalletje werkt.

'Wil je frambozenthee of appelsap?' vroeg Anna.

'Appelsap,' zei Hannah.

'Pak dat zelf maar uit de ijskast en eet een banaan.'

'We gaan mee naar binnen want het wordt frisjes,' zei Peter.

Hij droeg Gringo het huis in.

'Eerst nog even Pluisje-vangen,' zei Anna.

Pluisje-vangen was een sport die ze alle dagen beoefenden, het was een manier om het watervlugge konijn te pakken te krijgen. Met planken werd er een schutting rond het hok gezet, zodat er maar één toegang was. Anna joeg meneertje Pluis uit de struiken, Peter dreef hem door die opening en Hannah probeerde hem te vangen.

Dit keer lukte het na drie pogingen.

*

Hannah schonk zichzelf een glas appelsap in. Ze was zo in gedachten verzonken dat het sap over de rand stroomde.

Anna Rozenboom en Peter Peperkoek, dacht ze, ik vind hen doodgewoon, maar zijn ze dat ook? Weten ze zelf wel dat de meeste mensen hen vreemde vogels vinden? En zo ja... trekken ze zich daar dan ook maar een barst van aan?

Hannah wist het antwoord wel: het kon die twee niks schelen. Maar ze probeerde hen toch uit hun tent te lokken toen ze in de woonkamer zaten. Ze nam haar ouders onder vuur.

'Op school vinden ze jullie een stelletje kwibussen,' zei ze.

'Kinderen,' zei Peter afkeurend, 'ze zijn allemaal hetzelfde. Een nest kinderen is net een kudde schapen. Iedereen moet er hetzelfde uitzien. Iedereen moet hetzelfde liedje blaten.'

Met dat antwoord schoot Hannah natuurlijk niets op.

'Ze vinden Hannah Lagal een stomme naam,' zei ze.

'Hannah Lagal is een mooie naam, schattebol,' zei Anna.

'Een heel mooie naam,' bevestigde Peter.

Hannah fronste haar wenkbrauwen en liet zich onderuitzakken. Ze deed er het zwijgen toe.

'Heb je geen huiswerk?' vroeg haar moeder.

Hannah schudde haar hoofd.

'Ben je moe?'

Weer schudden.

'Je bent zo stil, is er iets?'

'Waarom draag je toch altijd van die speciale jurken?' zei Hannah.

'Omdat ik die mooi vind,' zei haar moeder. 'Had je liever een moeder die saaie kleren draagt?'

Hannah draaide zich om naar haar vader.

'En waarom zet jij je haar nog altijd rechtovereind? Je hebt opzij al twee kale plekken.'

'Ik ben niet kaal,' zei haar vader. 'Er zijn mensen die twintig jaar jonger zijn dan ik en minder haar hebben.'

'Je hebt twee kale plekken,' hield Hannah vol.

'Hé, wat doe je vervelend. Je vader heeft nog best veel haar voor zijn leeftijd. Was het niet fijn op school?' zei haar moeder.

'Waarom heet ons huis De Pimpernel?' ging Hannah koppig door. 'Waarom moet een gewoon wit huis in een rij een naam hebben?'

'Waarom zou ons huis geen naam hebben?' antwoordde Peter. 'Wij doen onze eigen zin en zolang niemand daar last van heeft is dat toch oké? Wij drieën plus Gringo en meneertje Pluis, wij horen thuis in De Pimpernel. En wie ons uitlacht is een flapdrol!'

Peter stak zijn borst fier vooruit.

'Jullie horen hier misschien thuis,' zei Hannah, 'maar ik niet. Ik heb er niet voor gekozen om hier te wonen en dit huis zo te noemen. Ik wil wonen in een gewoon huis zonder naam, net als iedereen in de klas.'

'Je woont in De Pimpernel, of je dat nu wilt of niet,' zei Anna, 'je vaart mee in ons schuitje. Jij en Gringo en meneertje Pluis. Gringo is bijzonder. En meneertje Pluis is een fantastisch konijn. Heb je ooit gehoord van een konijn dat je elke dag moet wiegen?'

Hannah grinnikte. Ze dacht aan die ochtend dat haar vader in zijn pyjama naast het hok van Pluis stond met dat maffe konijn in zijn armen. Pluis lag met zijn pootjes omhoog te genieten, zijn oogjes dicht.

'Ik ga ooit een boek schrijven dat *De Konijnenwieger* heet,' had Anna gezegd toen ze die twee had zien staan.

Hannah lachte. Ze kon onmogelijk haar rothumeur bewaren bij die herinnering.

'Je lacht weer,' zei Peter Peperkoek tevreden.

'Of je wilt of niet, schattebol, je hoort bij ons en je woont in De Pimpernel,' zei Anna Rozenboom.

Gringo en meneertje Pluis

Hannah stond onder het afdakje in de nieuwe tuin. Ze leunde tegen het konijnenhok met meneertje Pluis in haar armen. Het gekke konijn kneep zijn oogjes dicht. Pluis trilde zachtjes, en Hannah had het gevoel dat hij probeerde te spinnen.

'Maf beest,' fluisterde ze, 'je lijkt wel een ezeltje.'

Dat was zo. Met zijn grijze kop en lange oren en met zijn eigenwijze manier van doen, leek Pluis op Iejoor, de ezel in het verhaal van Winnie de Poeh.

Hannah zette Pluis op de grond. Hij bleef versuft aan haar voeten zitten.

'Was je oortjes nog eens, Pluis. Oortjes wassen!'

Pluis keek haar met pientere ogen aan. Hij ging op zijn achterpoten zitten en begon met zijn voorpootjes zijn oren te wassen. Daarna likte hij zijn pelsje. Als je hem zo bezig zag was het duidelijk: Pluis was een konijn met kattenmanieren. Die had hij van Gringo geleerd.

*

Twee jaar geleden had Hannah meneertje Pluis cadeau gekregen voor haar verjaardag. Ze kreeg hem van haar oom. Pluis was een grijs bolletje met lange oren. Anna had bedenkelijk gekeken.

'Dat konijn moet in een hok,' had ze gezegd. 'Ik vind het

maar niks, dieren die je in een hok moet houden.'

'Jij ziet een konijn liever in de pot,' zei Peter. 'Je houdt van konijn met uien en pruimen, geef het maar toe.'

Hannah had het kleine konijn beschermend tegen zich aan gedrukt.

'Je mag nooit meer konijn eten,' had ze gezegd.

'Dit konijn raak ik niet aan,' zei Anna, 'maar een ander, één dat we niet kennen, één dat geen naam heeft, mag ik toch wel opeten?'

'Nee,' zei Hannah streng.

Anna zuchtte.

'Ach ja, ze zijn lief,' zei ze, 'maar als ik 's avonds konijnen in het park zie lopen, weet ik niet wat ik moet denken: lieve diertjes of lekkere diertjes.'

'Je bent wreed,' zei Hannah, 'hoe kun je zo'n mooi dier opeten?'

'Lammetjes zijn ook mooi en die eten we toch ook?' protesteerde Anna. 'Maar oké dan, voor mij geen konijn meer op het menu.'

Pluis kreeg een hok van stevig bordkarton en hout in de tuinkamer van hun vroegere huis. Elke dag mocht hij een uurtje vrij. In de woonkamer of in de tuin.

In het begin had Hannah duizend angsten uitgestaan als Pluis in de buurt van Gringo kwam. Pluis had een ongezonde belangstelling voor de grote kater. Hij hupte tot vlak voor Gringo en zat hem dan brutaalweg aan te staren. Of Pluis zat achter hem en tuurde met een scheve kop naar het bewegende puntje van Gringo's staart.

Hannah was bang dat Pluis op een dag zijn scherpe tanden in die staart zou zetten, daar was het konijn best toe in staat. Hij had ook al eens in Hannahs billen gebeten. Hannah had gewoon 'auw' geroepen, maar wat zou Gringo doen als hij gebeten werd? Zou hij uithalen met zijn poot?

Hannah kreeg visioenen van een eenogig konijn met een zwart ooglapje.

Ze probeerde de twee dieren angstvallig uit elkaar te houden.

In het begin had Gringo wat verstoord naar de rondhuppende indringer gekeken. Maar al snel verkoos hij te doen alsof hij Pluis niet zag. Hij likte zijn pootjes en waste zijn oren. Hij hield zijn pels schoon en zette soms zijn voorpoten wijd uiteen om zijn witte buik te wassen. Op die momenten leek hij een enorme theemuts.

Pluis hield Gringo nauwlettend in de gaten en begon hem na te doen. En zo werd Pluis een konijn met kattenmanieren. Hij rekte zich uit als een kat, gaapte als een kat en waste zich als een kat. Gringo raakte op zijn beurt gesteld op het huppelkonijn.

Als meneertje Pluis terug in zijn hok moest, zat Gringo vaak vlak voor het hok naar Pluis te kijken terwijl het konijn zijn neus door het draadwerk stak.

'Ze zijn vriendjes,' zei Peter.

'Konijnen en katten kunnen geen vrienden zijn,' zei Anna. 'Ik ben bang dat Gringo op een dag in Pluis zijn neus zal krabben.'

'Dat doet Gringo niet,' zei Peter.

En inderdaad, Gringo raakte Pluis met geen poot aan. Voor Gringo was Pluis zoiets als een klein poesje: daar moest je geduld mee hebben. Er veel van verdragen. Maar je raakte er op den duur op gesteld.

Pluis was slim.

'Doe eens een flikflak,' zei Hannah soms.

Dan rende hij snel weg en gooide zijn achterpoten hoog in de lucht.

Pluis was verduiveld slim. Hij ging niet akkoord met de ongelijke behandeling van Gringo en hemzelf. Waarom mocht Gringo de hele dag vrij rondlopen en hij niet? Pluis ontwikkelde een methode om uit zijn hok te ontsnappen en het lukte hem op een dag. Hij had zo zijn eigen manier: hij begon met steeds op dezelfde plaats tegen het bordkarton te plassen. Die plek werd week en toen begon Pluis te knagen. Het gat werd elke dag groter. Pluis hield het verborgen door er hooi tegenop te stapelen. Op een dag was het gat groot genoeg en weg was hij...

's Morgens vond Hannah een leeg hok en een totaal verwilderd konijn in de tuin.

Pluis kreeg een nieuw hok.

'Dat beest is een dure grap,' zei Anna. 'Dure knabbelstokken, het duurste voer en nu een nieuw hok. In de dierenwinkel hadden ze gezegd dat dit hok ijzersterk was.'

'Niet voor Pluis,' zei Peter. 'Pluis is een ontsnappingskunstenaar.'

'Hij knaagt zo graag,' zei Anna, 'misschien verveelt hij zich. Misschien moeten we hem hout geven waar hij op mag knagen.'

'Welk hout?' zei Peter. 'Als we niet opletten geven we hem hout dat giftig is voor konijnen.'

'Als we nu eens aan de dierenarts gingen vragen welk hout Pluis mag hebben?' vroeg Hannah.

'Goed idee,' zei Anna, 'Pluis moet toch nog ingeënt worden tegen de konijnenziekte.'

En zo gebeurde het dat Hannah, Anna en Peter met Pluis in een mandje onder een doek door de plenzende regen liepen, op weg naar de dierenarts die iets verderop in de straat woonde.

In de wachtkamer hing een poster waarop konijnen naar grootte gerangschikt stonden: van dwergkonijn tot Vlaamse reus. Ergens tussen de twee in stond een blauwgrijs konijn dat sprekend op Pluis leek: een Marburger Feh. Zo heette de soort. Anna was dolenthousiast.

'Zie je wel, Hannah,' zei ze, 'Pluis is echt bijzonder, hij is een feeënkonijn!'

Hannah bleef onbewogen onder dat nieuws. Ze keek wat bevreemd naar haar moeder die zo blij leek met het idee dat Pluis een raskonijn was. Voor iemand die graag konijnenvlees at, was Anna toch wel erg gehecht geraakt aan meneertje Pluis. Ze vond hem zo lekker eigenwijs. Ze kon er zelfs om lachen toen Pluis in een hap en een knauw een stuk uit de telefoondraad beet.

'Een konijn kun je niks afleren,' zei ze verontschuldigend, 'dat doet gewoon zijn eigen zin.'

Mevrouw de dierenarts had een wilde bos rood krulhaar en priemende ogen achter een vlinderbril. Haar lippen stonden in een zuur tuitje. Ze voldeed niet aan de verwachtingen van de familie Lagal, ze zag niet in dat Pluis bijzonder was. Toen Anna vertelde dat ze in de wachtkamer gezien had dat Pluis een Marburger Feh was, vroeg de dierenarts met slepende stem: 'Oh ja? En waar komt hij dan vandaan?

Van de markt zeg je? En hoeveel kostte hij? Zeven euro?'

Op die manier boorde ze Anna's trots en hoop de grond in.

Pluis kreeg een werktuigelijke prik en de dierenarts maakte geen tijd voor een praatje met Hannah, die toch het baasje was van Pluis.

Anna had zich voorgenomen om ondanks de geringe belangstelling van de dierenarts haar vraag te stellen.

'Pluis knaagt graag,' zei ze, 'welk hout mogen we hem geven?'

'Een konijn is geen knaagdier maar een pelsdier,' zei de dierenarts.

'Maar Pluis knaagt,' hield Anna vol. 'Welk hout mogen we hem geven?'

'Een konijn is geen knaagdier, een konijn is een pelsdier,' zei de dierenarts weer.

'Dit konijn knaagt,' zei Anna een beetje boos, 'het heeft zijn konijnenhok kapotgebeten. Misschien verveelt het zich. Welk hout mogen we hem geven om aan te knagen?'

'Een konijn ís geen knaagdier, het is een pelsdier,' zei de dierenarts nog nadrukkelijker.

Hannah zag dat Anna zin had om te gillen, maar ze hield zich in.

Ze legde het doek weer op de mand van Pluis en pakte die op. Ze nam Hannah bij de hand en sleurde haar mee. Ze liet het aan Peter over om te betalen. Nog voor de deur van de consultatiekamer dicht was, zei ze tegen Hannah: 'Deze dierenarts weet duidelijk niets van konijnen. Ze voelt niets voor konijnen en ze voelt niets voor baasjes van konijnen. Ze had beter verkoopster van ijskasten kunnen worden!'

Pluis kreeg zijn tweede hok.

'Onverslijtbaar!'

Na een halfjaar was ook dat hok stuk geknaagd…

Het derde hok was van massief hout en tot zijn ergernis kreeg Pluis geen greep op de wanden. Hij stampte woedend met zijn achterpoot toen hij dat ontdekte. Maar binnen de kortste keren had hij een nieuwe ontsnappingsmethode ontwikkeld. Als je het deksel van het hok opendeed, probeerde hij als een pijl uit een boog uit je handen te schieten en de vrijheid van de tuin tegemoet te springen.

*

Hannah nam meneertje Pluis mee naar binnen en liet hem los in haar kamer. Anna had niet graag dat hij losliep in de woonkamer van het nieuwe huis. In die kamer stonden nieuwe, rieten stoelen en Pluis scherpte daar vol overgave zijn tanden aan. Aan één stoel hing al een franje. Anna, die toch veel van meneertje Pluis kon verdragen, oordeelde dat dat te ver ging. Pluis mocht alleen loslopen in de woonkamer onder streng toezicht.

Hannah vond het fijn om op de bank te liggen als ze televisie keek. Pluis sprong dan af en toe op haar en knabbelde plagerig aan de knopen van haar vestje of aan de rand van haar jeans. Hij vroeg om knuffeltjes. Hem laten rondlopen in haar kamer terwijl zij huiswerk maakte of klarinet speelde, was niet half zo gezellig.

Anna miste het maffe konijn ook. Soms kwam ze op Hannahs kamer als Hannah klarinet speelde en Pluis er losliep.

'Ik kom luisteren,' zei ze dan. Maar eigenlijk kwam ze voor meneertje Pluis.

De paasvakantie vloog voorbij. Voor Hannah het wist was het weer maandagmorgen. Ze werd met een schok wakker. Zeven uur. Door een spleet tussen de gordijnen viel een grauw streepje licht. Somber weer. Het paste bij haar stemming.

'Wat zie jij eruit!' zei Anna toen Hannah de trap af slofte. 'Waar heb je die kleren gevonden?'

'Ze lagen ergens onder in mijn kast,' zei Hannah stuurs.

'Je lijkt wel een grijze muis,' zei Peter.

'Iedereen in de klas draagt grijs, donkerblauw en bruin,' zei Hannah. 'Felle kleuren mogen niet en roze en bloemetjes zijn verboden.'

'Saai,' zei Anna, 'jullie hoeven toch geen uniform te dragen? Wie bepaalt die kleuren?'

'Dorien Peeters. Ze is erg bazig. Iedereen moet eruitzien zoals zij zegt.'

'Waarom doe je die nieuwe streepjestrui niet aan?' vroeg Anna.

'Ik weet niet of streepjes mogen.'

'Ga je nu altijd grijze en bruine kleren dragen?' zei Peter teleurgesteld.

'Als ik naar school ga wel,' zei Hannah, 'krijg ik nieuwe kleren, mama?'

'Muizenkleren kopen, daar is toch geen lol aan,' mopperde Anna. 'Je hoeft je toch niets aan te trekken van die Dorien?'

'Dat is gemakkelijker gezegd dan gedaan,' zei Hannah, 'iedereen luistert naar Dorien Peeters.'

'Je bent toch geen schaap?' zei Peter. 'Doe toch wat je zelf wilt.'

Hannah zuchtte en verkruimelde haar boterham. Ze kreeg geen hap meer door haar keel. Anna gebaarde naar Peter: laat maar…

Hannah trok de deur van De Pimpernel achter zich dicht en ging naar school. Het sombere gevoel waarmee ze was opgestaan was nog niet verdwenen. Ze verlangde hevig naar haar oude school met haar vroegere vriendinnen, en naar hun vroegere huis. Dat huis was vochtig en tochtig geweest, maar de tuin was groter. Er stonden oude meubels in de woonkamer en drie klimbomen in de tuin. In deze tuin stond maar één klimboom. Hannah was dol op boomklimmen.

Sinds ze verhuisd waren, zat Gringo ook niet lekker in zijn vel. Er zat soms wat bloed in zijn plas en hij kwam soms niet op tijd bij de kattenbak. Peter moest elke morgen de plasjes opdweilen en met de kater vechten om hem een pilletje te geven. Gringo lag urenlang stil op zijn krukje. Hij vond de trappen in het nieuwe huis te steil en vertikte het om die te beklimmen. Hij kwam niet hoger dan de derde tree. Daar wachtte hij op Anna. Als zij eraan kwam, kwekte hij gebiedend en dan droeg Anna hem braaf naar boven. Gringo zat fier rechtop als Anna hem droeg. Hij legde vertrouwelijk zijn pootje op haar arm. Hij liet zich als een prins bedienen. Anna zong meestal een liedje terwijl ze hem naar boven droeg.

'Je verwent die kat,' zei Peter. 'Als jij er niet bent, gaat hij wel naar boven. Je moest eens weten hoe snel hij nog kan traplopen. Zo snel dat al zijn vetkwabbetjes schudden.'

'Och,' zei Anna, 'Gringo wil graag een liftje en ik vind het niet erg.'

Hannah moest erg wennen aan De Pimpernel. Net zoals meneertje Pluis en Gringo.

Anna deed haar best om van het nieuwe huis voor iedereen een echt thuis te maken, maar Hannah zag haar soms ook wat droevig kijken naar de kleinere tuin. In de bloemperken was niet genoeg plaats voor al haar planten; wat overbleef had ze in potten gezet. En de pottentuin groeide en bloeide onder haar groene vingers.

Anna speurde de lucht af, op zoek naar vogels. Maar behalve een meeuw en een paar gierzwaluwen die hoog door de lucht scheerden, was er niets te zien of te horen.

'Weinig vogels hier,' mompelde ze.

De stemming van Hannahs vader bleef optimistisch.

'We wonen hier toch gezellig,' zei hij. 'Kijk eens, door de bloembakken aan de straatkant zien we de bulldozers bijna niet. En de geluidshinder van het station valt toch reuze mee? Die treinen geven me trouwens een reisgevoel.'

Op dat moment vloog er een vliegtuig over het huis. Heel laag.

'De vliegtuigen ook?' zei Anna.

Peter lachte nerveus.

'Och, die paar vliegtuigen per dag storen niet,' zei hij.

'Zou je niet eens een timmerman laten komen om een boomhut voor Hannah te maken?' vroeg Anna.

'Een boomhut in de perenboom voor Hannah en mezelf,' zei Peter. 'Goed idee. Ik ga er vandaag nog achteraan.'

De Witte Tornado

'We moeten eens ernstig met je praten, Hannah,' zei Peter. 'Je weet toch dat oma Peperkoek ziek is? Ze kan niet goed meer voor zichzelf zorgen. We denken erover om te vragen of ze bij ons komt wonen.'

'Is oma ziek?' zei Hannah, 'daar heb ik nog niets van gemerkt.'

'Je oma wordt wat kinderlijk,' zei Peter.

'Zo is ze toch altijd geweest?' zei Hannah. 'Ze heeft altijd graag met mij gespeeld.'

'Nu is het toch anders,' zei Anna, 'ze is soms erg in de war en dan doet ze vreemde dingen.'

'Zoals?' vroeg Hannah.

'Midden in de nacht rondwandelen in de tuin,' zei Peter.

'Misschien wil ze de sterren zien?' zei Hannah.

'Ze eet elke dag kip met appelmoes,' zei Anna.

'Oma lust graag kip,' zei Hannah, 'wat is daar verkeerd aan?'

'Ze zegt over iedereen hardop wat ze denkt,' zei Peter.

'Dat is toch eerlijk?' zei Hannah.

'Ik maakte laatst een praatje met oma's buurvrouw terwijl oma erbij stond,' zei Peter. 'Voor we terug naar binnen gingen zei oma zo hard dat de buurvrouw het kon horen: "Wat is die mevrouw Dieltjes toch een ouwe zeur. En ze is zo lelijk als de nacht!" Ik schaamde me dood.'

'Dat is toch ook zo,' zei Hannah. 'Dat mens lijkt op een heks.'

'Je mag zoiets denken, maar je zegt het niet,' zei Anna. 'Oma heeft geen remmen meer.'

Daar moest Hannah even over nadenken.

'Wat denk je ervan?' zei Peter.

'Wat ik denk van een oma zonder remmen?' zei Hannah.

'Nee, wat denk je ervan dat oma bij ons komt wonen?'

'Prima,' zei Hannah.

Oma die kwam logeren was toch geen probleem? Oma was een schattig klein vrouwtje met spierwit haar. Een sprookjes-oma. Ze kon 'tapdansen' en verhalen vertellen over de oorlog. Met oma maakte je plezier, waarom deden haar ouders dan zo raar? Alsof ze haar toestemming nodig hadden.

'Je weet toch dat oma al een hele tijd ziek is,' ging Peter voorzichtig verder.

'Niet erg ziek,' zei Hannah, 'ze kan nog heel lang leven.'

'Het is erger dan je denkt, schattebol. Oma is flink. Ze zegt altijd dat het goed met haar gaat, maar ze heeft veel pijn,' zei Anna.

'En ze verliest dingen,' zei Peter.

'Jij toch ook?' zei Hannah. 'En ik ook. Het is een familie-trekje.'

'Bij oma wordt het erger,' zei Anna.

'Oma is nu zo ziek dat ze een speciale behandeling nodig heeft,' zei Peter. 'Daarom willen we haar bij ons in huis nemen. Ze zal zich heel naar voelen.'

'Oma's haren zullen uitvallen door de behandeling,' zei Anna.

Hannah probeerde zich oma voor te stellen zonder haar prachtige witte haren. Een kale oma. Haar hoofd was vast mooi rond als een eitje.

'Ze zal wel een hoofddoek of een mutsje moeten dragen,' zei Anna.

Een oma met een mutsje in een groot bed, wachtend op de boze wolf…

'Heeft oma kanker?' vroeg Hannah.

Hannah zag haar ouders schrikken. Waarom waren grote mensen zo bang voor dat woord?

Peter knikte kort.

'Ze heeft leukemie,' zei hij.

Leuke-mie, dacht Hannah, wat een raar woord. Het woord 'leuk' zit erin, maar het is vast niet leuk als je van leukemie ziek wordt en als je haar uitvalt als je het probeert te behandelen.

Hannah werd ongerust.

'Ze gaat toch niet dood?' zei ze benauwd.

'Als de behandeling een goede uitwerking heeft, kan ze nog een hele tijd leven,' zei Peter.

'Hoe gaat het eigenlijk met oma Rozenboom?' vroeg Hannah argwanend.

'Die heeft het aan haar hart schattebol, dat weet je toch?' zei Anna.

'Maar ze is wel kranig,' zei Peter.

'Toch weet je het maar nooit met een hartziekte,' zei Anna.

'Wat kan er dan gebeuren?' vroeg Hannah.

Peter en Anna keken elkaar weer aan, maar nu met een blik die Hannah niet vertrouwde. Er hing vast weer een gevaarlijk woord in de lucht. En daar kwam het:

'Een hartziekte is een beetje als een tijdbom,' zei Anna. 'Je weet maar nooit wanneer zo'n bom ontploft.'

Het leek plots alsof de poten onder Hannahs stoel waren gezaagd en ze met een schok naar beneden zakte.

's Avonds lag Hannah nog lang wakker. De klerenkast leek ineens op een donker monster op korte poten. De spiegel in de kast was een enorme muil die je in een onbewaakt moment kon opslokken.

Waar ga je eigenlijk naartoe als je dood bent, dacht Han-

nah. Als oma Peperkoek doodgaat, kan ik haar dan nooit meer zien? Is ze dan weg? Of kan ik haar dan nog steeds in mijn hoofd zien en met haar spreken, zoals papa beweert?

Over het plafond kropen geheimzinnige lichtstrepen.

Waar komen die lichtstrepen vandaan, dacht Hannah. Zijn dat soms de lichtstralen van een UFO? Zijn het spoken? Mama zegt dat spoken niet bestaan omdat niemand ze ooit gezien heeft. Bestaat iets wat je niet kunt zien dan nooit? God zie je nooit. Is God ook een spook?

Oma Peperkoek had leukemie en werd vergeetachtig en oma Rozenbooms hart was een tijdbom.

Alles wat ooit vertrouwd was, leek nu ineens onzeker.

*

Oma Peperkoek reed niet meer met haar eigen auto. Dat was jammer, want dat was altijd een grappig gezicht geweest. Als ze op een kussen zat, zag je haar hoofd net boven het stuur uit komen. Oma glunderde helemaal als ze autoreed. Het was haar hobby. Maar de laatste tijd had ze zo veel kleine ongelukjes veroorzaakt dat de verzekeringsmaatschappij haar niet meer wilde verzekeren. Ze was een brokkenpiloot geworden. De dagen dat oma over de weg scheurde en de buurt onveilig maakte, waren voorgoed voorbij.

Peter bestuurde de wagen. Hij bracht oma naar De Pimpernel.

Oma kwam binnen en gedroeg zich alsof ze – zoals gewoonlijk – maar een paar uurtjes zou blijven. Ze was als altijd gehaast. Het was alsof ze een wolk van drukte met zich meebracht. Ze had een cadeautje voor Hannah: een lolly die op batterijen werkte, hij draaide rond als je op een knopje drukte. Hannah hoefde alleen maar haar tong uit te steken.

In een kwartier tijd had oma Anna al drie keer goed advies gegeven.

Hoe ze het best de vlekken uit het tapijt kon krijgen.

Dat je de was niet te droog moest laten worden, dan kon je hem beter strijken.

En hoe je de ramen kon lappen zonder strepen na te laten.

Wijze raad. Maar Hannah zag dat haar moeder er zenuwachtig van werd. Ondertussen had oma op een briefje haar lievelingsrecept voor parelhoen genoteerd.

Ze had drie keer gezegd dat ze geen thee hoefde om de vierde keer toe te geven dat ze wel een beetje dorst had.

Ze had drie keer gezegd dat ze niet veel suiker hoefde, om de vierde keer met tegenzin toe te geven dat ze altijd minstens drie klontjes nam. In een klein kopje.

Toen ze Gringo met stramme poten zag opstaan van zijn krukje zei ze:

'Ocharm, dat beestje. Wordt het geen tijd om hem een spuitje te geven? Die kat is zo goed als versleten.'

'Hij is nog altijd blij dat hij bij ons is,' protesteerde Peter.

Oma leek niet te horen wat haar zoon zei. Ze keek aandachtig naar het rode haar dat als onkruid uit het hoofd van Peter groeide. Ze pakte een plukje nekhaar beet en trok eraan.

'Je haartjes moeten geknipt worden,' zei ze.

'Niet doen,' zei Peter, 'je weet dat ik daar helemaal kriebelig van word!'

De sfeer was een beetje gespannen. Maar Peter kende zijn moeder. Hij legde een oude plaat op de grammofoon en trok haar overeind.

'Komaan, dansen!' zei hij.

Hannah lachte. Anna lachte. Ze keken naar oma die met moeite kon lopen maar nog wel goed kon tapdansen. Haar voeten schuifelden snel over de grond. Haar hielen maakten klikkende geluiden: rikke-tik-tok. Ze trok haar schouders op en maakte kokette gebaartjes met haar handen. Oma's gezicht straalde en werd bijna rimpelloos.

Hannah zag haar oma plots voor zich toen die nog jong

was. In plaats van kort, spierwit haar had ze lange rode vlechten die meezwaaiden als ze ronddraaide. Ze danste met een bezemsteel als partner alsof haar leven ervan afhing. Die bezemsteel was haar prins op het witte paard.

Hannah wist wel dat die prins nooit was gekomen. Opa was al een paar jaar dood maar hij was nooit een prins geweest. Eerder een reus met een donderstem. Geen partij voor een prinses met een stemmetje van suikergoed. De prinses werd een schrobbende, poetsende assepoester die voor elke vlek een wondermiddel wist. Oma Peperkoek kon toveren met bleekwater.

Maar als oma danste, leek ze alles te vergeten. Om haar heen wervelde een wereld in zuurstokkleuren.

Hannah en Anna applaudisseerden. Peter begeleidde oma galant naar de sofa. Ze liet zich zakken op een elegante manier.

Hannah had heel even getwijfeld of het wel leuk was dat oma in huis woonde, maar nu wist ze zeker: oma was een feestneus, met oma had je plezier.

Toen oma's kamer in orde was gemaakt en ze in bed lag, was iedereen om de een of andere reden doodmoe.

'Pfff, jij hebt het altijd oneerbiedig gevonden,' zei Peter toen hij zich naast Anna op de sofa liet zakken, 'maar begrijp je nu waarom ik haar de Witte Tornado noem?'

'Ik begrijp het,' zei Anna. 'Ze laat alles om zich heen bewegen en ze weet hoe je alles om je heen schoon moet schuren.'

Hannah zag wat bleek. Ze streelde Gringo, die op haar schoot lag. Pluis hupte rond haar voeten, hij mocht pas binnen nu oma in bed lag. Oma vond konijnen dieren die buiten hoorden. In hun hok.

'Wat zijn we begonnen,' zei Anna zachtjes. Ze keek bezorgd naar Hannah. 'Zal dit wel goed aflopen?'

'Oma is lief,' zei Hannah, 'en ze bedoelt het goed.'

'Ja,' zei Peter, 'ze weet echt voor alles het beste poetsmiddeltje. Je kunt nog veel van haar leren, Anna. Oma is voor haar leeftijd nog een heel moderne vrouw. Ze volgt de reclame op de voet en ze heeft alles uitgeprobeerd.'

'Misschien kan ik er een boek over schrijven,' zei Anna. 'Iets in de trant van: *De wijze raad van tante Kaat*. Ik weet al hoe ik het ga noemen: *Bleekwater en ossegalzeep.*'

'Wat is ossegal?' zei Hannah.

'Dat weet ik ook nog niet maar het schijnt een vlekkenkampioen te zijn,' zei Anna met een nerveus lachje.

*

Een paar dagen na oma kwam er een onbekende kat langs. Elke morgen en elke avond. Heel stipt, vlak na etenstijd.

Ze had dezelfde kleur als meneertje Pluis, maar voor de rest hield elke vergelijking op: de kat was een wandelende, rafelige vlooienbaal. Ze zat op het vensterkozijn voor het keukenraam te wachten. Ze gaf geen kik maar volgde elke beweging van oma Peperkoek met haar grote, lichtgroene ogen. Hannah zag hoe oma het raam opende en de restjes van haar eten aan de kat gaf. Alles wat ze niet opkreeg, en dat was nogal wat want oma at als een vogeltje.

'Arme Poef,' mompelde oma met haar hoge stemmetje terwijl ze de kat probeerde te strelen, 'jij hebt ook geen huis meer hé? Arme Poefie...'

'Oma, zou je dat wel doen?' zei Anna. 'Als we alle zwerf-katten eten geven, stikt het huis straks van de vlooien.'

'Ik geef alleen eten aan Poef,' zei oma. 'Olivier krijgt niets, die moet thuis gaan eten.' Ze wees naar een gevlekte kater die op de tuinmuur zat.

'Hoe ken je de namen van die katten?' zei Peter.

'Luisteren jullie niet naar wat er in de buurt gebeurt?' zei oma. 'Olivier is de kater van een mevrouw die twee huizen verderop woont. Ze roept hem dikwijls. Poef en Olivier zijn vriendjes, maar Poef is een zwerver.'

'Hoe weet je dan dat ze Poef heet?' zei Hannah.

'Dat weet ik niet,' zei oma, 'maar als ik Poef roep, komt ze.'

'Is het een vrouwtje?' zei Hannah.

'Zo ziet ze er toch uit,' zei oma. 'Poef is een lief kattinne-tje.'

'Zou je er wel aan beginnen die kat eten te geven?' zei Peter.

'Ik ben er al mee bezig, ze is het al gewend. Het arme suk-keltje. Jullie geven Gringo toch ook eten?'

'Dat is iets anders,' zei Anna, 'Gringo hoort bij ons.'

'Die arme Gringo is versleten,' zei oma, 'hij is zo stram als een oud mannetje en hij plast in huis, dat heb ik wel gezien.

Al zijn jullie nog zo snel om het op te dweilen. Je kunt hem beter een spuitje laten geven.'

'Nee, oma! Dat kunnen we niet!' riep Hannah uit.

Anna werd een beetje rood en keek hulpzoekend naar Peter.

'Gringo is heel belangrijk voor Hannah,' zei Peter.

'En voor ons,' zei Anna opstandig.

Oma luisterde al niet meer.

'Arme Poef,' zei ze terwijl ze de schuwe zwerfkat over haar kopje probeerde te strelen.

'Is Poef voor jou belangrijk?' vroeg Peter.

'Ze is een arm sukkeltje,' zei oma.

Pimper

Hannah keek naar het stoffige plein. Binnen was het benauwd. De grote vakantie begon over een paar weken. Hannah herademde. Dit schooljaar kon niet snel genoeg voorbijgaan.

'Hoor eens,' zei Peter verlangend.

Er klonk een vrouwenstem door de luidspreker van het station: 'De trein naar Parijs vertrekt van spoor negen...'

'Droom jij maar,' zei Anna. 'Wij kunnen deze zomer niet op reis.'

'Ga ik alleen maar op avonturenkamp?' zei Hannah.

'Wees blij dat je tenminste ergens naartoe gaat,' zei Peter. 'Ik moet wel thuisblijven. Ik heb nog veel te veel werk aan mijn nieuwe boek.'

'En ik heb het nog te druk met dit nieuwe huis,' zuchtte Anna. 'En dan is oma Peperkoek er ook nog.'

'We kunnen haar onmogelijk alleen laten,' zei Peter. 'Binnenkort begint haar nieuwe behandeling.'

'Ook zonder die behandeling kunnen we haar niet alleen laten,' zei Anna.

Dat had Hannah wel gemerkt. Oma was heel lief en rustig als ze zich beroerd voelde. Dan lag ze stilletjes op de bank en was ze dankbaar als Hannah haar een kopje thee bracht of haar kussen opschudde.

De problemen begonnen als oma haar peppillen had genomen en zich wat beter voelde. Dan liep ze de hele dag onrustig rond en alles moest gebeuren zoals zij het wilde. Met haar witte haar dat in piekjes stond en met haar fonkelende ogen zag ze eruit als een ondeugende huiself. Ze liet iedereen om zich heen dansen als trekpoppen aan touwtjes. Hannah had er geen ander woord voor: oma was soms stout.

Hannah was een beetje bang dat de zomer lang en eenzaam zou worden. Haar vroegere vriendinnen woonden in een ander deel van de stad. Die zag ze niet zo vaak meer. Op haar nieuwe school had ze nog geen vrienden of vriendinnen. Ze vond Winnie wel leuk, maar Winnie was dik met Dorien en Zoë. Daar mocht Hannah niet bij. Dan was er natuurlijk Sara Vervliet, maar die wilde Hannah niet meerekenen. Het kostte haar soms moeite om aardig te blijven tegen Sara. Dat meisje kleefde aan je als een klit. Sara had een zeurstem en ze greep Hannahs arm vast als ze praatte. En ze drukte haar scherpe nagels diep in Hannahs huid als Hannah niet goed genoeg luisterde. Het probleem was: Sara praatte zonder ophouden, maar ze had nooit iets te vertellen. Wat moest je met zo iemand?

Dit wordt een zomer met alleen de dieren van De Pimpernel, dacht Hannah. Gringo de versleten kater en meneertje Pluis. Gringo is oud en Pluis is lief, maar ik kan toch niet de hele dag met een konijn spelen?

*

Hannah zat in haar boomhut. Er was een timmerman gekomen en die had de hut getimmerd. En hij was prachtig. De hut was gebouwd op een platform rond de stam van de grote perenboom, die achter in de tuin stond. Je kon in de hut komen via een ladder. Binnenin waren twee zitbanken met kussens en een tafeltje. Je kon in de boomhut blijven zitten als het regende, het dak was waterdicht. Hannah vond het heel gezellig om er te zitten lezen. Dan was het binnen schemerdonker en knus terwijl het buiten pijpenstelen regende. Ze sloot de gordijntjes die Anna had gemaakt van roodwit geruite lappen, deed de deur dicht en zat in een cocon. Soms nam ze Pluis mee, maar nooit voor lang: het konijn werd gek van geluk in de boomhut met al dat lekkere hout waaraan hij wél mocht knagen.

Bij goed weer keek Hannah door de raampjes die naar drie kanten uitzicht boden. Ze kon bijna ongemerkt in alle tuinen gluren. Kijken was de beste manier om de buren te leren kennen, vond Hannah.

Spijtig genoeg waren er geen kinderen in de buurt. In het huis rechts van De Pimpernel woonde een dik vrouwtje, mevrouw Liflafje. Ze was het baasje van Bol. Bol was een eigenwijze jonge kater die zijn naam waarschijnlijk te danken had aan de donzige haarpluk boven zijn lichtgele ogen. Bol was pluizig wit met op zijn kop en rug wat zilvergrijze strepen. Hij klom soms in de perenboom en zat dan naar Hannah te kijken. Ze probeerde het dier te lokken, maar Bol durfde niet binnen te komen. Soms haalde hij halsbrekende toeren uit.

Mevrouw Liflafje was aardig. Elke vrijdag steeg er een heerlijke baklucht op uit haar keuken, dan bakte ze taart en koek voor haar kleinkinderen. Soms bracht ze op zondagavond de restjes van dat gebak naar De Pimpernel. Voor Hannah. En voor oma Peperkoek, die was dol op zoetigheid.

De tuin achter De Pimpernel behoorde toe aan mijnheer en mevrouw De Lelie. Die hadden een kleine vierkante vijver met goudvissen, en een nestkastje dat bewoond werd door een mezenpaar. Mijnheer en mevrouw De Lelie hielden niet van katten, ze joegen Bol altijd weg met een bezem. Gringo had daar geen last van, die kwam de tuin bijna niet meer uit en hij klom zeker niet over de tuinmuur.

In het huis schuin achter De Pimpernel woonde de oude

meneer Kievits. Meneer Kievits was een breekbaar mannetje dat vaak bij het raam zat. Hij wuifde vriendelijk naar Hannah als ze in haar boomhut zat. Hij wuifde ook naar oma Peperkoek als ze Poef te eten gaf en Olivier wegjoeg. Het eten van meneer Kievits werd elke dag gebracht met een bestelwagen. Meneer Kievits at net als oma als een muis want elke dag, klokslag halfeen, zette hij de restjes van zijn maaltijd op de vensterbank van zijn keukenraam. Het werd een kattenrestaurant met stipte klanten: elke dag gingen Olivier en Poef klokslag halfeen bij meneer Kievits langs.

Oma Peperkoek zag het gebeuren en schudde afkeurend haar hoofd.

'Hannah, kijk toch eens,' zei ze. 'Meneer Kievits is een aardige man, maar ik begrijp niet waarom hij Olivier ook eten geeft. Olivier is een dikke sloeber.'

'Maar oma,' zei Hannah, 'Olivier is even zielig als Poef. Het zijn allebei zwerfkatten.'

'Olivier is geen zwerfkat. Hoe zou ik anders weten dat hij Olivier heet? Hij is van de mevrouw die twee huizen verderop woont,' zei oma beslist.

'Bedoel je de mevrouw met het gele haar en de kersrode zoenlippen?' zei Hannah.

'Ik weet niet hoe ze eruitziet, maar ik hoor haar vaak Olivier roepen, niet Poef,' zei oma.

'Olivier is de man van die mevrouw met het gele haar,' zei Hannah. 'Ze roept haar man.'

'Welke man heet er nu Olivier?' zei oma. 'Olivier is toch een kattennaam?'

'Op mijn school zit ook een jongen die Olivier heet,' zei Hannah.

'Olivier is een kattennaam,' hield oma koppig vol.

Hannah gaf het op. Ze kon oma maar beter gelijk geven, ook als ze geen gelijk had.

Het jonge paar dat links van De Pimpernel woonde, had

pas een baby gekregen. Het kind had sterke longen, het kon oorverdovend brullen. Oma Peperkoek greep dan naar haar hoofd.

'In dit huis en in deze buurt houdt niemand er rekening mee dat ik alles hard hoor,' zei oma. 'Wat een gejank, zeg.'

'Dat is waar,' zei Hannah, 'je hoort heel goed. Je hoort zelfs wanneer ik 's nachts het licht aandoe om een beetje te lezen.'

'Jongens, wat kan dat kind brullen!' zei oma. 'Ze moesten het fopspeentje van die kleine in bier dopen, dan valt het zo in slaap.'

'In bier?' vroeg Hannah ongelovig.

'Zwaar bier,' zei oma met een ondeugende schittering in haar ogen. 'Trappist of zo. Licht bier helpt niet.'

Hannah zat soms uren in haar boomhut. Ze kon de boeven-streken volgen die Bol uithaalde. Soms hing hij onderstebo-ven aan een tak van de perenboom. Dan trok hij zich voort als de cabine van een kabelbaan.

Hannah hoorde hoe de treinen van het station naar ande-re steden vertrokken. Ze zag dat de buurvrouw met het gele haar te veel rookte. Ze rookte zelfs terwijl ze de was ophing.

Hannah zat stil en de wereld bewoog terwijl ze uit haar boomhut keek.

*

Op een zondagochtend werd er gebeld.

Hannah deed open.

Er stonden een meisje en een jongen op de stoep. Het meisje had een klein poesje vast en stak het vliegensvlug naar Hannah uit. Anna kwam de gang in. Ze zag hoe Han-nah het poesje aannam en pakte het onmiddellijk over.

'Wat een schatje,' zei ze vertederd.

Het poesje was heel klein, maar een handjevol.

'Wij hebben het gevonden, maar we gaan vandaag met vakantie,' zei het meisje gejaagd.

De jongen trok het meisje al weg bij de deur. Hij keek al lopend nog eens achterom en zei: 'Willen jullie er goed voor zorgen? Het is al zindelijk.'

Voor Hannah en Anna het beseften, waren de kinderen half rennend om de hoek verdwenen.

'Wel heb je ooit!' zei Anna verbluft. 'Die hebben haast. Ze willen dit arme beestje natuurlijk kwijt. Iemand die een poesje kwijt wil, vindt blijkbaar zijn weg naar De Pimpernel.'

Het poesje zat op haar uitgestrekte hand. Het hoofdje wiebelde op een dun nekje, en uit het bekje kwam een hoog gepiep.

'Kijk toch eens,' zei Anna, 'dit poesje heeft geen snoet maar een gezichtje met een brilletje.'

Dat was waar. Het tijgerkatje had een lief kopje, en de oogjes leken bijgetekend met een zwart oogpotlood. Bij zijn ooghoeken zaten twee zwarte streepjes: net alsof ze een brilletje had.

'Wat lief. Mag ik het houden, mama?' smeekte Hannah.

'Wat gaat Gringo zeggen?' zei Anna.

'Gringo gaat het vast als zijn jong beschouwen.'

'Dat durf ik te betwijfelen,' zei Anna. Ze zette het katje in de woonkamer op de grond.

Gringo vond het geen goed idee. Oma Peperkoek wel.

'Goed zo,' zei ze, 'een klein poesje kun je vlug zindelijk maken. Neem het maar in huis voor Hannah. Hannahtje moet toch een huisdier hebben? Wat heb je nu aan een stom konijn en een hobbezak als Gringo? Die oude kater kunnen jullie nu met een gerust gemoed een spuitje geven.'

Peter kwam binnen. Hij hoorde wat oma zei.

'Daar komt niks van in,' zei hij streng. 'Gringo is door geen jong grut te vervangen.'

'We kunnen ze toch allebei houden?' zei Hannah.

'Waarom niet?' zei Anna. 'Het kind heeft al zo weinig in deze vakantie. Wat denk je, mijn Peperkoekje?'

Peter keek op dezelfde manier naar het kleine katje op de mat als Gringo: met een verdwaasde blik. De oude kater deinsde terug toen het poesje mauwde en op wankele poten recht op hem af stapte. Gringo zag eruit alsof hij het kleine mormel het liefst wilde wegjagen, maar hoe moest hij dat aanpakken? Zo'n klein poesje was toch geen partij?

Het kleine katje voelde zich overwinnaar. Het zette een hoge rug op, blies, sprong met vier poten tegelijk de lucht in en deed een uitval naar Gringo's staart. Gringo ging er als een haas vandoor.

'Mag ik het houden? Alsjeblief?' vroeg Hannah.

'Gringo vindt er niks aan,' zei Anna weifelend.

'Och, Gringo zal er wel aan wennen,' zei Peter. Hij ging

op zijn hurken zitten, duwde het katje met één vinger omver en kriebelde het op de lichtbruine buik. Het katje probeerde in zijn vinger te bijten.

'Je mag het houden, Hannah, op één voorwaarde,' zei hij. 'Dat je Gringo niet vergeet.'

'Natuurlijk niet,' zei Hannah, 'Gringo blijft mijn gabbertje. Wat denken jullie? Is dit poesje een jongen of een meisje?'

Peter pakte het katje op en keek op de plek waar zoiets te zien was.

'Het is een meisje,' zei hij. 'Hoe zullen we haar noemen?'

'Molly,' zei oma Peperkoek.

'Surcouf,' zei Anna, 'naar de beroemde piratenboef. Ze ziet er zo schelmachtig uit.'

'Surcouf is meer een hondennaam,' zei Hannah.

'Minoe?' zei oma.

'Waarom niet Pimpernel zoals ons huis?' zei Peter.

'Te lang,' zei Hannah, 'waarom niet Pimper?'

'Hoe?' zei oma. 'Pieper?'

'Hoe komt het dat iemand die alles zo goed hoort als jij, een mens toch zo slecht verstaat,' zei Peter ongeduldig.

Het katje ging zitten en maakte hoge piepgeluidjes.

'Ze piept, jullie kunnen haar toch beter Piepertje noemen,' mompelde oma Peperkoek. 'Pimper, wat een stomme naam. Minoe is toch veel mooier?'

Tegen de zin van oma werd het katje Pimper gedoopt. En Pimper werd een inwoner van De Pimpernel.

Oma Peperkoek zal het katje altijd Piepertje blijven noemen, dacht Hannah, dat weet ik nu al.

Katten kunnen niet spreken

'Je gaat dat ding toch niet opblazen?' vroeg oma Peperkoek.

'Natuurlijk wel,' zei Peter. 'Dit is Hannahs zwembad. Het is stikheet en water brengt verkoeling.'

'Waar zet je het neer? Op het gras?'

'Waar anders?'

'Het gras gaat dood als je er een zwembad op zet. Hannah kan toch op de bank zitten met haar voeten in een teiltje?' zei oma.

Anna overzag de tuin: perenboom met boomhut, grasveldje, plantenhoek, pottentuin, eethoek, zitbank en de ligstoel van oma Peperkoek.

'We moeten het zwembad wel op het gras zetten, er is nergens anders plaats,' zei Anna.

'Een zomer zonder zwembad,' zei Hannah wanhopig, 'dat kan toch niet, papa? Het is hier om te stikken.'

Peter krabde in zijn dunner wordende haar. Dat deed hij altijd wanneer hij geen oplossing zag. 'Kijk eens, Hannah,' zei hij, 'oma heeft wel gelijk. Het gras gaat dood als je er een zwembad op zet.'

'En ben je eigenlijk niet te groot voor een plonsbad, Hannahtje?' zei oma.

Hannah voelde plots een hete brok woede in haar keel. Ze keek haar oma met een duistere blik aan. Maar oma merkte niets.

'We gaan regelmatig naar het openluchtzwembad,' zei Anna.

'En je krijgt het grootste waterkanon dat we kunnen vinden,' zei Peter.

Hannah keek met vlammende ogen van haar moeder naar haar vader.

'Beloofd?' vroeg ze.

'Hand op het hart,' zei Peter Peperkoek plechtig.

Hannah zat te mokken in haar boomhut.

Een zomer zonder zwembad, dacht ze, toe maar. Oma Peperkoek krijgt altijd haar zin. Het is alsof mama en papa geen eigen wil meer hebben.

Hannah had de kleine Pimper mee naar boven genomen. Ze klemde het katje in haar armen maar het diertje was zo glad als een aal. Het spartelde tot ze het uit haar handen liet glippen. Pimper sprong weg en verschool zich onder de bank. In het verste hoekje. Waar Hannah er niet bij kon. Ze keek naar het diertje dat zich verstopte en met grote ogen naar haar staarde.

'Aan jou heb ik ook niks,' zei ze. 'Wanneer word jij nu eens tam?'

Pimper was niet zoals ze zich een jong katje had voorgesteld. Pimper liet zich niet graag knuffelen. Het katje groeide elke dag een beetje en het werd met de dag onafhankelijker. Ze verstopte zich als je haar wilde pakken.

Gringo vond dat het kleine mormel veel te veel aandacht kreeg. Als Hannah met Pimpertje speelde, miauwde hij klaaglijk en keek haar beschuldigend aan.

Dan tilde ze de oude kater op haar schoot en krabbelde hem op de vertrouwde manier achter zijn oren. Gringo probeerde zich te beheersen, maar dat lukte niet. Hij begon toch zachtjes te spinnen. Op een keer opende Gringo zijn bekje en uit zijn keel kwamen een hele reeks kwekgeluidjes. Gringo kon miauwen in alle toonaarden.

'Weet je wat hij zegt?' zei Peter die het toevallig hoorde.

'Niks,' zei Hannah, 'katten kunnen niet spreken.'
'Jawel,' zei Peter. 'Gringo zegt dat Pimper een lastpak is.'
'Gringo praat niet,' zei Hannah.

De enige kat in de buurt die belangstelling had voor Pimper, was Bol. Poef en Olivier liepen met een boog om het kleine katje heen, maar Bol reageerde anders. Hij zat op de tuinmuur naar de ondeugende streken van Pimper te kijken. Hij vond het heel interessant om te zien hoe ze haar eigen staart probeerde te vangen of op vlinders joeg. Ze was dol op veertjes die ze verborg in een geheime schuilplaats. En soms zat Pimper met haar goudkleurige ogen doodstil voor het hok van Pluis naar het konijn te staren. Vooral dat vond Bol interessant. Op een keer stak Pluis argeloos zijn neus door het gaas. Pimper haalde uit met haar klauwtje en Pluis trok zich net op tijd terug. Op de muur zat Bol enthousiast te miauwen.

Peter, die het gedrag van de twee katten gevolgd had, zei: 'Weet je wat Bol zegt?'

'Kun je Bol nu ook al verstaan?' zei Hannah.

'Ik versta alle katten,' zei Peter. 'Bol zegt: "Bravo Pimper. Goed gedaan!"'

'Straks kunnen we Pluis niet meer in de tuin loslaten.'

'Ach, zo'n vaart loopt het niet,' zei Peter, 'Pimper is nog klein.'

*

Hannah gooide haar boekentas in een hoek.

'Vakantie!' riep ze uit.

'Ben je opgelucht dat het jaar voorbij is?' vroeg Anna.

'Dat is toch te begrijpen,' zei oma Peperkoek. 'Ik ging ook niet graag naar school. Het is puur tijdverlies.'

'Ik ga wel graag,' zei Hannah, 'maar niet naar deze rotschool.'

'Was het echt zo erg?' vroeg Anna verschrikt.

'Ik heb geen vriendinnen, ik kan niet de kleren dragen die ik wil, en als ik mijn mond opendoe, ben ik een rare,' zei Hannah. 'Vind jij ook dat mijn neus te lang is?'

Hannah toonde haar neus in profiel.

'Jouw neus niet,' zei oma, 'maar die van je papa en mama...'

'Je hebt een mooie neus, schattebol,' zei Anna.

'Kijk eens,' zei Hannah.

Ze stak haar rechterhand op.

'Ik zie niks,' zei Anna.

'Foei! Je moet je handjes wassen, schat,' zei oma.

'Zie je dan niet dat mijn wijsvinger krom staat?' zei Hannah.

'Hoe kom je daar nu bij?' zei Anna. 'Aan iedereen is wel iets mis als je zo precies gaat kijken.'

'Dorien Peeters ziet alles,' zei Hannah. 'Alles wat krom staat of verkeerd zit, heeft ze gezien.'

'Dat moet een ongelukkig kind zijn,' zei oma.

'Ze maakt je onzeker,' zei Anna. 'En zelf is Dorien Peeters natuurlijk perfect?'

'Helemaal niet. Ze heeft de wenkbrauwen van een gorilla.'

'Je moet iets terugzeggen,' zei oma strijdlustig, 'zeg toch dat ze een gorilla is! Ze moest maar eens in de spiegel kijken.'

'Dat moet je niet doen, Hannah. Als ze nog eens iets tegen je zegt, moet je er gewoon om lachen,' zei Anna. 'Heb je trouwens al eens goed naar jezelf gekeken? Je bent mooi, schattebol.'

'En je ben een lieve schat,' zei oma. 'Mijn allerliefste kleinkind.'

Hannah keek teleurgesteld van de een naar de ander. Ze bedoelen het goed, maar aan zo'n antwoord heb ik niks, dacht ze.

De eerste zondag van de vakantie zaten ze met z'n allen buiten te eten. Het was snikheet. De lucht zinderde. Iedereen had het te warm. Pluis zat in zijn nachthok en liet zich niet zien en Pimpertje lag stil in de schaduw. Alleen oma scheen de temperatuur prima te vinden. Ze zat voor het eerst buiten zonder dekentje.

Gringo stond op van zijn koele plekje onder de pioenstruik en liep met een slepende tred. Zijn tong hing bijna uit zijn bek. De oude kater voelde zich verplicht om, als altijd, bij de maaltijd aanwezig te zijn.

'Doe dat jasje toch uit, Gringo,' zei Anna. 'Wie houdt nu zijn bontjas aan in de zomer?'

'Dat kan hij toch niet?' zei oma.

'Zal ik er een ritsje in naaien? Dan kun je het uitdoen,' zei Anna.

'Ik zie het al voor me,' grinnikte Hannah, 'Gringo de roze kat.'

Gringo kwekte en draaide zijn rug naar hen toe.

'Nu hebben jullie hem beledigd,' zei Peter.

'Oh ja, wat zei hij dan?' vroeg Hannah spottend.

'Binnenkort hebben jullie geen roze kater maar een roze oma,' zei oma Peperkoek. 'Kijk maar eens.'

Ze streek met haar hand door het haar alsof ze een goocheltruc wilde uithalen. Zonder moeite hield ze een zilverwitte pluk vast.

'Oma, je mooie haar!' zei Hannah geschrokken.

'Wat zonde,' zei Anna.

'Ik word zo kaal als een eitje,' zei oma Peperkoek pruilend.

'Na de behandeling komt je haar wel terug,' zei Peter troostend.

'Maar nu gaat het weg,' zei oma triest. 'Maar ik mag niet klagen.'

'Van wie mag jij niet klagen?' zei Peter.

'Ik ben al oud, aan mij gaat niets verloren. In het ziekenhuis is er een jong meisje, zo kaal als een biljartbal. Dat vind ik veel erger.'

Gringo duwde liefkozend met zijn kopje tegen oma's been. De oude kater leek een speciale antenne te hebben voor de trieste gevoelens van de mensen in zijn omgeving.

Oma Peperkoek streelde Gringo.

'Jij bent een lieve jongen,' zei ze. 'En versleten, net als ik. Zien jullie niet dat zijn dikke buik kaal en roze wordt?'

'Vind je Gringo even lief als Poef?' zei Hannah.

'Soms wel,' zei oma Peperkoek. 'Maar Gringo is ziek, ocharm. Het wordt tijd dat jullie hem een spuitje geven.'

*

Oma Peperkoek zat in haar ligstoel. Hannah vulde haar waterkanon in een teiltje en gaf het aan oma.

'Probeer die pioen eens te raken,' zei Hannah.

Oma stak het puntje van haar tong tussen haar lippen en mikte.

'Raak!' zei ze.

'Nu die gele roos,' zei Hannah.

'Raak!' zei oma.

'Nu op mij,' zei Hannah.

Hannah hupte van het ene been op het andere en sprong alle kanten op.

'Stil blijven staan,' riep oma.

Hannah stond stil en oma mikte. Een harde straal trof Hannah recht op haar hart.

'Raak!' zei oma.

Pluis kwam voorbij en oma Peperkoek richtte.

'Raak!' zei ze weer.

Pluis schoot verschrikt weg tussen de struiken.

'Oma, dat mag niet,' zei Hannah. 'Je mag Pluis niet nat-spuiten.'

'Waarom niet?' vroeg oma onschuldig.

'Konijnen houden niet van water.'

'Dat stomme beest hoort in zijn hok,' zei oma. 'Kijk eens, hij knaagt aan de madeliefjes.'

'Dat is niet erg,' zei Hannah.

'Nu knaagt hij aan de klimop,' zei oma.

'Oei, dat mag niet,' zei Hannah, 'klimop is giftig.'

Hannah liep op Pluis af en Pluis spurtte weg. Pimper schoot onder een struik vandaan, achter het konijn aan. En meneertje Pluis, die helemaal niet bang was voor Gringo, vluchtte voor de kleine Pimper.

'Wat een held,' zei oma, 'dat konijn is bang voor een klein poesje.'

'En dat is maar goed ook,' zei Hannah. 'Pimper is niet te vertrouwen.'

Bol, die vanaf de tuinmuur had toegekeken, maakte een mauwgeluid.

Oma wees naar Bol.

'Die kat lacht,' zei ze.

'Vertel me niet dat jij nu ook al kattentaal verstaat,' zei Hannah.

'Ik versta hem niet maar ik zie het aan zijn smoeltje,' zei oma Peperkoek.

En inderdaad. Het leek wel of de kater van mevrouw Liflafje een grijns op zijn snuit had.

Hannah klom in haar boomhut toen oma Peperkoek was ingedommeld. Ze keek door een raampje en wachtte tot oma vast sliep. Toen ging ze weer stilletjes langs de ladder naar beneden. Ze sloop tot bij haar oma's stoel en plukte met voorzichtige vingers de witte haren van haar schouders. Als oma dat zelf moest doen, werd ze droevig.

Anna kwam naar buiten en keek medelijdend naar het steeds dunner wordende haar van oma. Door het dunne haar heen zag je haar schedel blinken.

'Oma wordt zo kaal als de hamster die ik als kind had,' fluisterde ze tegen Hannah.

'Je hamster?' zei Hannah.

'Ik had vroeger een goudkleurige hamster. Ze heette Motje en ze is zes jaar geworden, heel oud voor een knaagdier. Op het eind was het haar van Motje bijna wit en je kon haar huid erdoorheen zien. Net als bij oma.'

'Maar oma is toch geen hamster?'

'Gelukkig niet,' zei Anna. 'Hamsters kunnen geen mutsjes dragen tegen de kou. Oma wel.'

'Het is bloedheet. Zelfs met een kaal hoofd heb je geen muts nodig,' zei Hannah.

'Oma wel,' antwoordde Anna, 'ze heeft het altijd koud.'

De zoektocht naar mutsjes begon.

Tante Loes bracht twee gehaakte mutsjes mee uit Griekenland.

Oma zette ze met een kieskeurig gezicht op haar hoofd.

'Te klein,' zei ze.

Tante Griet, oma's andere schoondochter, haakte zelf een mutsje.

'Dat zet ik niet op,' zei oma, 'het fliederrandje is zo stom!'

Oma's schoonzus, oudtante Bertha, bracht een muts mee uit Portugal.

'Te groot,' zei oma. 'En te veel kleur. Bertha heeft nooit een goede smaak gehad.'

Maar toen oma Peperkoek al haar haren kwijt was, waren alle mutsjes goed.

Of spreken katten toch?

Zoals bijna iedereen was Hannah dol op vakantie, maar deze sleepte zich eentonig voort. De vakantie deed haar denken aan een liedje:

Konijn en ik,
zijn hele dikke vrienden.
Konijn en ik,
zijn liever in de tuin.
Konijn en ik,
zijn voor elkaar te vinden.
Wat moet hij in z'n bontjas
aan die hete Côte d'Azur?

Deze vakantie was een beetje zoals in dat liedje, maar niet helemaal, want eigenlijk had Hannah best wel aan de Côte d'Azur in Frankrijk willen zitten. De zomer was al halverwege en alle dagen verliepen volgens hetzelfde patroon. Tekenen en lezen in de boomhut. Met Pluis en Pimper spelen. Klarinet oefenen en knutselen. Spelletjes spelen op de computer. De bloemen water geven met het waterkanon. Luisteren naar het vertrek van de treinen en stil zijn als oma sliep.

En oma sliep vaak...

Hannah was twee keer op bezoek geweest bij Greetje, haar vroegere schoolvriendin. Maar ze kon Greetje niet bij haar thuis vragen want oma Peperkoek kon niet tegen drukte.

Ze was twee keer gaan zwemmen in het openluchtzwembad. Niet vaker, want Anna en Peter moesten op oma passen. De laatste keer was ze daar Dorien Peeters, Zoë Ortega en Winnie Overstein tegengekomen. Dorien en Zoë deden of ze Hannah niet zagen, Winnie had vaag geknikt. Hannah vond het vreselijk. De drie meisjes negeerden haar straal en toch voelde ze zich de hele tijd bekeken.

Ze had twee dagen bij oma Rozenboom gelogeerd. Lekker buiten, dat was heerlijk. Hannah had in alle bomen gezeten waarin maar te klimmen viel.

Haar ouders hadden oma Peperkoek alleen gelaten, toen ze Hannah ophaalden bij oma Rozenboom. Het was al bijna donker toen ze thuiskwamen.

'We zijn veel te laat,' zei Anna zenuwachtig. 'We hadden beloofd dat we om acht uur terug zouden zijn.'

'Wat geeft het,' zei Peter, 'oma ligt allang in haar bedje. Ze gaat om zeven uur slapen.'

Anna liep naar boven om oma Peperkoek onder te stoppen, en slaakte een kreet toen ze in de slaapkamer kwam. Oma was foetsie!

Ze rende in paniek de trappen op en af. Peter keek in alle kamers, maar oma was nergens te bespeuren.

'Misschien is ze buiten?' zei Hannah.

'Buiten, op dit uur?' zei Anna.

'Het is voor oma veel te koud om buiten te zitten,' zei Peter.

'Je weet maar nooit,' zei Hannah.

Anna liep de tuin in. Het schemerde tussen de struiken. Ze zag niemand. Aan de hemel pinkten de drie sterren die je vanuit de tuin kon zien.

Vanuit de boomhut klonk plots een ijl kreetje: 'Joehoe!'

Anna maakte een sprongetje van schrik.

'Oma, je zit toch niet daarboven?'

Peter klom de ladder op.

'Dit is onmogelijk,' zei hij. 'Ben jij die ladder op geklommen?'

'Ik kan niet vliegen,' zei oma.

'Je had kunnen vallen! Je had je botten kunnen breken,' riep Anna uit.

'Ik ben niet gevallen,' zei oma. 'Ik wilde al zo lang eens in die hut zitten, net als Hannahtje. Vanhier kun je recht in de keuken van meneer Kievits kijken. Ik heb een praatje met hem gemaakt door het keukenraam. Aardige man, die meneer Kievits. Hij is om acht uur gaan slapen.'

'Het is te koud en het is veel te laat. Waarom ben je niet naar bed gegaan?' vroeg Peter.

'Ik durfde niet meer naar beneden,' zei oma met een klein stemmetje.

'Wel heb je ooit,' zei Peter.

Hij hielp zijn moeder met veel moeite langs het laddertje omlaag.

In het licht van de huiskamer bekeek Anna de schade. Oma bibberde en haar ogen schitterden onnatuurlijk. Ze droeg de blauwe gehaakte muts met het fliederrandje, en ze lachte een beetje vals.

'Was het gezellig bij oma Rozenboom?' vroeg ze op een hoog, onschuldig toontje aan Hannah.

'Heel gezellig,' zei Hannah.

'Ik dacht dat je van de trap was gevallen,' zei Anna.

'Ik dacht dat je dood was,' zei Peter.

'Och, och,' zei oma Peperkoek, 'jullie zijn veel te snel ongerust. Ik red me heel goed als jullie weg zijn.'

'Dat hebben we gemerkt,' zei Peter knorrig. 'Waag het niet nog eens om in de boomhut te kruipen.'

'Ik zal het niet meer doen, schat,' zei oma braafjes.

'Kon ik dat maar geloven,' zei Peter.

'Kom,' zei Anna, 'snel je bed in!'

'Je maakt je veel te druk,' zei oma.

'Waarom moest oma in de boomhut klimmen? Ze had haar nek wel kunnen breken,' zei Anna toen oma eindelijk in bed lag. 'Ze doet erg vreemd de laatste tijd.'

'Misschien komt het door de medicijnen,' zei Peter.

'We kunnen haar niet meer alleen laten,' zei Anna.

'Och, zo'n vaart loopt het niet,' zei Peter.

Maar zo'n vaart liep het wel.

Toen ze weer eens van een bezoekje aan oma Rozenboom thuiskwamen, was het weer zover. Het was kwart over acht, een kwartiertje later dan beloofd, en oma was weer verdwenen.

Deze keer was de paniek minder groot.

Peter vond oma op handen en knieën tussen de struiken.

'Wat doe jij hier?' vroeg hij.

'Onkruid wieden,' zei oma, 'het stikt hier van het onkruid en die arme Anna heeft zo weinig tijd om in de tuin te werken. Ik dacht: ik help effe.'

'Je hebt alles gewied op deze plek,' zei Peter. 'Waarom sta je niet op?'

'Ik kan niet meer overeind komen,' zei oma.

'Hoelang zit je hier al?' zei Peter.

'Een halfuurtje?' zei oma. 'Oei, oei, mijn rug.'

Peter hees zijn moeder overeind.

'Stel dat we later thuis waren gekomen,' zei Anna. 'Om halftien bijvoorbeeld, zoals de vorige keer?'

'Als je acht uur zegt, bedoel je toch acht uur?' zei oma Peperkoek met een kwaadaardige schittering in haar ogen. 'Was het gezellig bij oma Rozenboom, Hannahtje?'

'Heel gezellig,' zei Hannah.

Ze stopten oma met z'n drieën in bed. Met haar kale hoofdje dat boven de dekens uit piepte, leek oma zo weerloos en
onschuldig. Om te knuffelen.

Maar terug beneden in de woonkamer zei Anna boos:
'Oma ziet eruit als een elfje, maar sinds haar nieuwe behandeling gedraagt ze zich soms als een boosaardige trol. Ze is
jaloers op oma Rozenboom. Ze is erger dan een klein kind.'

'Ze is een stoute huistrol,' zuchtte Peter.

*

Toen oma pas in De Pimpernel woonde, had Hannah het
gevoel gehad dat ze een oudere zus had gekregen. Ze keken
samen naar de kinderprogramma's op de televisie. Ze gie-
chelden samen om de stomste dingen. Oma kon ondeugend
zijn en daar hield Hannah wel van.

Maar de laatste tijd leek het alsof oma met de dag jonger
werd. Ze gedroeg zich als een kleuter en wilde altijd haar
zin hebben. Oma was bijvoorbeeld de baas van de afstandsbediening van de televisie. Oma wilde stipt om twaalf uur
eten en ze wilde alleen eten wat ze heel graag lustte. Het
liefst at ze gebraden kip met appelmoes.

En Hannah lustte toevallig geen kip met appelmoes.

Oma wilde dat iedereen muisstil in het donker naar boven
sloop als zij in haar bed lag. Ze was 'alleshorend' en 'alles-
ziend'. En ze kon niet tegen het licht op de gang.

Oma, oma, oma...

Anna rende de hele dag de trappen op en af en probeerde
het oma Peperkoek naar de zin te maken. Er was altijd wel
ergens een vlek die moest worden weggepoetst, of een blad
van een plant dat opgeraapt of afgeknipt moest worden.
Anna sloofde zich uit en deed poeslief tegen oma, maar
Hannah moest het rothumeur van haar moeder verdragen
als oma haar te veel werd. Het was niet eerlijk.

Peter was bezorgd om Gringo. Oma mocht niet merken hoe slecht de kater eraan toe was. Elke morgen vond hij wel een plasje met bloed. Peter stond voor dag en dauw op, voor oma Peperkoek. Want als die het plasje vond, zou ze weer zeuren: 'Waarom geven jullie dat arme dier geen spuitje?'

Hannah had het ook druk. Ze moest meneertje Pluis beschermen. Ze kon hem nooit meer zomaar los laten in de tuin, want Pimper groeide zienderogen. Zij was nu al even groot als Pluis en joeg het konijn graag op.

Op een dag zag Hannah hoe Pimper en Bol naast elkaar voor het hok van Pluis zaten. Ze keken strak naar het konijn.

Bol keek zijdelings naar Pimper en mauwde. Hannah kon zich voorstellen dat hij zei: 'Ook zin in een lekker brokje, Pimp? Ik ben dol op konijnenbrokken.'

Hannah pakte de bezem en joeg de katten weg.

Op een morgen stond Hannah te kijken hoe oma Poef te eten gaf. Ze had dat wandelende vlooiencircus zover gekregen dat het kopjes gaf.

'Lieve Poefie,' mompelde oma, 'verwaarloosd sukkeltje. Je hebt ook geen thuis meer, net als ik.'

Poef spinde zachtjes. Ze miauwde nooit, ze was een zwijgzame kat.

'Je bent hier toch thuis, oma?' vroeg Hannah.

'Jullie zijn schatten,' zei oma, 'maar soms mis ik mijn eigen spulletjes. En mijn eigen huis is zo stil. Ik denk dat ik maar eens terug ga naar dat plekje.'

'Je kunt niet meer alleen wonen, oma. Je bent ziek.'

'Ach wat, zo ziek ben ik niet.'

'Je eet niet goed als je alleen bent.'

'Wel waar,' zei oma dromerig. 'Alle dagen gebraden kippenbout met appelmoes. Nooit soep. Ik haat soep. Ik kan nog best voor mezelf zorgen.'

'Blijf toch maar bij ons, oma. Ik wil liever dat je bij ons blijft,' zei Hannah.

'Dat is lief, Hannahtje.'

Olivier zat op het platte dak naar hen te loeren. Hij kreeg weer niks te eten.

'Ga weg, sloeber,' zei oma tegen hem.

Olivier keek naar Hannah en miauwde. En werkelijk, het was alsof ze kon verstaan wat hij zei: 'Hé meisje, waarom krijg ik niks te eten van die oude taart?'

De oude Gringo mauwde en miauwde veel. En de laatste tijd kon Hannah zich heel levendig inbeelden wat hij allemaal te vertellen had.

Als hij op de derde tree bleef zitten, kwekte hij vast en zeker tegen Anna: 'Hop, trap op!'

Als hij boven aan de trap zat, kwekte hij: 'Hup, trap af!'

Als Peter 's morgens met hem vocht om hem zijn pilletje te laten slikken, krijste hij het uit: 'Buhhh! Bitter! Slik die rommel zelf, Peter Pannenkoek!'

'Je moet het slikken, Gringo, het is voor je eigen bestwil,' zei Peter alsof hij Gringo had verstaan.

Het was best grappig om te bedenken wat al die katten zoal miauwden. Hannah had haar ouders nooit geloofd als die beweerden dat ze Gringo konden verstaan, maar nu begon ze ook kattentaal te begrijpen. Was het een spelletje? Was het een gave of een teken van eenzaamheid? Hannah wist het niet. Ze voelde zich soms heel alleen, de laatste tijd. Ze begon zich zelfs te verheugen op het avonturenkamp, al was ze er ook wat bang voor. Stel dat de meisjes in haar groep niet aardig waren? Zouden ze haar dan buitensluiten zoals op haar nieuwe school?

Is er iets mis met mij? dacht Hannah. Ben ik anders dan de anderen?

Aan haar moeder hoefde ze dat niet te vragen, Hannah kende haar antwoord wel.

Natuurlijk ben je anders, zou haar moeder zeggen. Jij bent liever. Jij bent beter. Jij bent de liefste schattebol van de hele wereld!

Aan zo'n antwoord had je niks. Moeders vinden hun eigen kinderen altijd geweldig.

Moffat de Jonge

Het avonturenkamp viel mee. Het weer bleef prachtig en Hannahs hart maakte een buitelingetje toen bleek dat ze één meisje kende: Winnie Overstein. Hannah had Winnie altijd het leukste meisje van de klas gevonden. Maar dat vond Dorien Peeters blijkbaar ook. Dorien beschermde haar vriendschap met Winnie als een jaloerse kat. Niemand mocht in de buurt komen, Hannah zeker niet.

Winnie leek opgelucht toen ze Hannah in de gaten kreeg. Ze werden in dezelfde groep ingedeeld.

'Gelukkig, we kennen elkaar al,' zei Winnie toen ze naar de vreemde gezichten om zich heen keek.

Nu Dorien en Zoë er niet bij waren, deed Winnie wel aardig tegen Hannah. Ze zei zelfs dat ze Hannahs neus niet te lang vond. Ze trokken veertien dagen met elkaar op, en aan het eind van het kamp had Hannah het gevoel dat Winnie en zij vriendinnen waren.

Toch maar even afwachten, dacht ze. Je weet nooit hoe het gaat als Dorien en Zoë weer in de buurt zijn.

*

Het weer sloeg om toen Hannah thuiskwam. Het was drukkend heet en toch slaagde de zon er niet in om door de wolken te breken. De kleren plakten aan je lijf en iedereen was kregel. Iedereen snakte naar regen. Ook de dieren hadden last van de warmte.

Gringo hing als een slappe doek over zijn krukje.

Pluis zat de hele dag in zijn rennetje op het gras. Soms rekte hij zich uit en maakte hij zich lang op zijn kattenmanier. Hannah had hem zelfs een keer zien gapen.

Pluis vond het te warm om gewiegd te worden. Als Hannah hem oppakte, kronkelde hij om weg te komen. Hij verloor plukken haar en probeerde die weg te likken. Hij schudde boos met zijn kop als dat niet goed lukte.

'Konijnen zijn geen katten,' zei Anna bezorgd, 'al denkt Pluis van wel. Heb je ooit een konijn gezien dat een haarbal uitbraakt? Al dat haar in zijn maag is niet goed voor dat meneertje. Ik ga hem kammen.'

'Een konijn kun je niet kammen,' zei Peter.

'Pluis is geen gewoon konijn,' zei Anna.

Anna kamde Pluis met een kattenborstel. Wonderlijk genoeg zat hij heel stil en liet hij haar braaf haar gang gaan. Met de rest van de mensheid had Pluis minder geduld. Soms probeerde hij in Hannahs hand te happen.

De enige die meneertje Pluis in zijn buurt kon verdragen, was Gringo. Dikwijls zaten ze naast elkaar in het gras. Gringo met zijn dikke kontje, en het grijze konijnenbolletje dat af en toe met zijn lange oren zwiepte. Als Pimper te dicht in de buurt kwam, stond Gringo op en liep recht op het katje af. Pimper blies, maar Gringo liet zich niet van de wijs brengen.

Hannah kon wel bedenken wat hij tegen die kleine lastpost zei: 'Oprotten! Als de vliegende bliksem!'

Pimper zocht zowaar troost bij Hannah.

Op een keer zag Hannah vanuit haar boomhut hoe Pimper en Bol in de tuin zaten te smoezen. Ze voerden duidelijk iets in hun schild. Bol had een brutale grijns op zijn snuit en Pimper keek zo vals dat ze scheel zag.

Hannah hield de twee katten in de gaten. Ze zag hoe ze naar de ren van Pluis drentelden.

Bol gaf het bevel tot de aanval. Hij sprong boven op de ren en sloeg zijn klauwen in het gaas. Pluis schoot naar de andere kant van de ren. Daar zat Pimper te wachten. Ze duwde haar pootjes met de scherpe nagels door het gaas en probeerde Pluis in zijn neus te krabben. Bol schuifelde dichterbij. Het konijn kon geen kant op...

Hannah klauterde vliegensvlug naar beneden. Ze zwaaide met haar armen, stampte met haar voeten. Pimper en Bol stoven elk een kant op.

'Jullie moeten van Pluis afblijven!' gilde Hannah.

Ze stond te trillen op haar benen. Dit ging echt te ver. Moest ze Pimper en Bol nu ook al in de gaten houden als Pluis in zijn ren zat?

De sfeer in De Pimpernel werd bepaald door het plakkerige schaduwweer.

Peter probeerde aan zijn boek te werken in een bloedhete kamer onder het platte dak van De Pimpernel. Hij zat te puffen achter zijn computer.

Anna werd gek van oma Peperkoek die het in haar hoofd had gehaald om te helpen met het huishouden.

Oma was de enige die geen last had van de warmte. Ze was weer helemaal de Witte Tornado. Opgepept door haar medicijnen, vloog ze door het huis als een bedrijvige bij.

Ze hamerde een spijker in de muur om een schilderijtje op te hangen en maakte iedereen wakker. Het was zeven uur 's morgens. Op een zondag in de vakantie.

Ze ging op een stoel staan om een losgehaakt gordijn goed te hangen.

'Dat mag je niet doen,' zei Peter, 'straks kukel je ervan af. Als je iets breekt, geneest het nooit meer.'

Ze stopte al het wasgoed in de droger.

'Niet doen,' zei Anna, 'de bonte was hang ik op, anders krimpt het.'

Ze begon de ijskast schoon te maken en moest halverwege stoppen omdat ze blauw werd van de kou.

'Dat moet je niet doen,' zei Anna, 'je weet dat je niet tegen kou kunt.'

Anna maakte de klus met tegenzin af.

Oma gooide stoepkrijt en waterspeelgoed weg dat in de tuinkast stond.

'Dat mag niet,' zei Hannah, 'daar speel ik nog mee.'

Oma Peperkoek draaide door als een speelgoedkonijntje op te sterke batterijen. Ze hielp iedereen van de regen in de drup. Vooral Anna werd zenuwachtig van al die koortsachtige bedrijvigheid.

*

Op een avond dreigde het onweer los te barsten dat al een week in de lucht hing.

Anna stond bij het keukenraam naar de wolken te turen. Dikke donderkoppen met gouden randen pakten samen, en alles baadde in een groenig licht.

'Nee,' zei Anna, 'dat is niet mogelijk. Kom eens kijken, Peter.'

Peter kwam naast haar staan en keek naar buiten.

'Het gaat onweren,' zei hij.

'Dat bedoel ik niet,' zei Anna. 'Kijk eens wie er op de tuinmuur zit. Daar achter de perenboom.'

'Nee,' zei Peter, 'zeg dat het niet waar is. Ik geloof niet in spoken.'

'Ik ook niet,' zei Anna, 'en toch... Als twee druppels water.'

'Waar hebben jullie het over?' vroeg Hannah.

Ze wrong zich tussen haar ouders in.

'Wat is er te zien?' vroeg ze nog eens.

Anna wees: 'Daar op de tuinmuur, achter de perenboom.'

Op de tuinmuur zat een e-nor-me kater. Gringo was

groot, maar deze was reusachtig. Pikzwart. En lelijk!

'Wat een monster,' zei Hannah.

'Een pletwals,' zei Peter somber.

'Is hij niet angstaanjagend?' zei Anna. 'Die kat lijkt sprekend op Moffat.'

Op dat moment werd de lucht gekliefd door een felle bliksemschicht.

'Het is een jongere versie van Moffat,' zei Peter met een grafstem. 'Moffat de Jonge.'

Een donderslag deed de lucht trillen.

Daarna barstte het onweer in alle hevigheid los. De regen viel in stromen uit de hemel.

Hannah kende Moffat van het eerste kinderboek dat haar moeder had geschreven. Het heette *Gringo de Bliksemkater.*

'Heeft die Moffat echt bestaan?' vroeg ze.

'Natuurlijk,' zei Peter, 'maar is het niet onwaarschijnlijk? Een speling van het lot heeft een kater in de buurt gebracht die het evenbeeld is van Moffat!'

'We houden Gringo en Pimper binnen,' zei Anna. 'Ik wil niet dat ze door dat monster aan flarden worden gescheurd.'

'Dat kan niet,' zei Peter. 'Het zijn buitenkatten, ze zullen hun gebied moeten verdedigen.'

'Maar Pimper is nog te klein en Gringo is te oud,' zei Anna.

'Misschien valt het mee,' zei Peter, 'misschien is Moffat de Jonge niet zo'n vechtjas als Moffat de Oude.'

'Wat moeten we dan?' zei Anna.

'Afwachten,' zei Peter.

*

Na het onweer liet Moffat de Jonge zich niet meer zien.

Hannah geloofde bijna dat ze een kwade onweersgeest hadden gezien.

'Misschien was die Moffat maar even in de buurt,' zei ze, 'misschien moest iemand een poosje op hem passen.'

'Goed dat Gringo en Pimper die kater niet zagen,' zei Peter. 'Ze zouden er nachtmerries van krijgen. Wat een griezel!'

Moffat de Jonge liet zich niet zien en toch had Hannah het gevoel dat er iets ging gebeuren. Er hing een spanning in de lucht en het leek wel of de katten uit de buurt vergaderden.

Hannah zag Poef en Olivier op de tuinmuur zitten. Olivier mauwde en Poef luisterde aandachtig toe. Ze keken allebei naar Pimper en Bol die in de tuin zaten.

Dat was gek.

Poef en Olivier bemoeiden zich nooit met Pimper en Bol, en nu leken die vier katten te kletsen. Waar hadden ze het over?

Gringo deed niet mee aan deze kattenvergadering. Hij kwam de laatste dagen niet meer buiten en toch was hij wakkerder dan anders. 's Avonds keek hij waakzaam door het keukenraam naar buiten. De haren op zijn rug en staart kropen rechtovereind, en hij maakte dreigende keelgeluiden.

'Hoor!' zei Anna. 'Gringo scheldt op Moffat.'

Gringo kwekte en Hannah kon zich voorstellen wat hij zei: 'Waar ben je, valsaard? Laat je zien als je durft! Ik weet dat je daar ergens rondhangt, vuile vlooienbal!'

Al een paar dagen hing de lucht roerloos boven het stationsplein. De bloemen in de achtertuinen bewogen niet en alles leek te wachten.

En op een avond was hij daar…

Hannah zat in het schemerlicht van de avond in haar boomhut te lezen. Ze zag het gebeuren.

Moffat kwam van links. Hij liep soepel over de tuinmuren.

Hannah had niets bij de hand om naar zijn kop te gooien. Ze gilde: 'Opdonderen! Wegwezen! Ksssj!'

Moffat liep door zonder zijn pas te versnellen. Hij keek spottend naar boven. Recht in de ogen van Hannah die door een venstertje van haar boomhut spiedde.

Hij wandelde tot aan de tuin van de mevrouw met het gele haar.

Hannah zag hoe Moffat naar beneden keek. Toen liet hij zich neerploffen op de muur, met zijn poten in de lucht. Hij schurkte zijn rug aan de stenen en likte zijn poten. Het signaal was duidelijk: niets op de wereld kon Moffat de Jonge angst aanjagen.

Wie de leiding nam kon Hannah niet zien. Plots sprongen er vier katten vanuit de tuin omhoog: Olivier, Bol, Poef en Pimper. In die volgorde. Ze schoten recht op hun doelwit af en overvielen Moffat.

Een verrassingsaanval!

Moffat de Jonge viel krijsend van de muur. De vier katten sprongen hem achterna.

Hannah kon niet zien wat er gebeurde, maar ze kon het wel horen. Er klonk een afgrijselijk geblaas en gejank. Overal werden ramen en deuren geopend.

'Wat een kluwen van poten en staarten,' riep meneer Kievits, 'de plukken haar vliegen in het rond.'

'Olivier!' riep de mevrouw met het gele haar.

Oma heeft toch gelijk, schoot het door Hannahs hoofd. De kat heet Olivier, niet haar man.

'Poefie!' riep oma Peperkoek met een bezorgd piepstemmetje vanuit haar slaapkamerraam.

'Pimpertje,' fluisterde Hannah.

Mevrouw Liflafje leunde met haar ronde lijf gevaarlijk uit een bovenraam.

'Bolleke,' riep ze angstig.

Plots vlogen de vier katten – Olivier, Poef, Pimper en Bol – de tuinmuur op. Ze spurten alle kanten op. Olivier, Pimper en Bol zochten schuilplaatsen in hun huizen en de arme Poef liet zich als een blok in de tuin van De Pimpernel vallen. Ze verborg zich trillend achter het hok van Pluis.

Pluis stond op zijn achterpootjes in zijn ren, zijn neus snuffelde waakzaam. Gringo stond achter het keukenraam. Hij leek tweemaal zo dik als anders. Al zijn haren stonden rechtop.

71

Over de tuinmuur liep Moffat de Jonge, soepel als een panter. Toen hij langs de tuin van De Pimpernel liep, stond hij stil en staarde door het keukenraam naar binnen, recht in de ogen van Gringo.

Een angstaanjagend geluid grauwde uit Moffats keel: 'Wat denk je daar van, ouwe?'

Het klonk als een uitdaging.

Gringo de Bliksemkater

De katten in de buurt waren totaal van slag. Olivier liet zich niet meer zien, Poef woonde bijna onder het hok van Pluis. Oma Peperkoek zette iedere dag een schoteltje met voer bij het hok.

'Arme Poefie,' zei ze dan. 'Ben je bang voor die stoute kat?'

Bol was nergens te zien. Durfde hij niet meer naar buiten, of werd hij binnengehouden door mevrouw Liflafje?

Pimper zag spoken. Ze staarde angstig naar de witte muren en verstopte zich bij het minste geluid onder de sofa. Ook zij kwam niet meer buiten.

Gringo was de enige die sporen van heldhaftigheid vertoonde. Hij vatte post bij het keukenraam en hield de tuinmuur in de gaten. Je kon het onmiddellijk horen en zien als Moffat de Jonge in zijn blikveld verscheen. Het haar van de oude kater ging dan rechtovereind staan. Zijn staart werd twee keer zo dik en er kwamen gevaarlijke geluiden uit zijn keel. Woordeloze dreigementen die Hannah niet kon verstaan.

Moffat de Jonge liet niet na om dagelijks een paar keer over de tuinmuur te paraderen. Hij liep traag en keek tevreden rond. Alle binnentuinen behoorden nu tot zijn gebied; hij had iedereen verslagen. Iedereen behalve die hobbezak van een Gringo, maar wat had hij van die oude kater te vre-

zen? Moffat liet het niet na om spottend naar het keukenraam te staren waarachter Gringo op de vensterbank zat.
Soms mauwde hij uitdagend alsof hij zei: 'Durf je niet naar
buiten te komen, ouwe? Ben je bang dat ik een gehaktbal
van je maak?'

'Wat een brutaal smoelwerk heeft die kater toch,' zei
Anna.

'Het lijkt wel een straatjoch met kauwgom in zijn bek,' zei
Peter.

Hannah hield haar waterpistool in de aanslag. Als Moffat de
Jonge voorbijkwam, dook ze weg onder het venster van
haar boomhut en kwam onverwacht weer tevoorschijn om
op Moffat te schieten.

Die kater schrok nooit. Hij liep ook niet weg. Als hij zich
langzaam uit de voeten maakte, keek hij spottend achterom
en dan hoorde Hannah hem als het ware miauwen: 'Meis-
sie, denkt je echt dat ik bang ben voor zo'n flauw water-
straaltje?'

'De volgende keer pak ik een hele emmer!' riep Hannah
hem na.

'Hoe moet dit aflopen?' vroeg Anna bezorgd. 'De katten uit
deze buurt zijn duidelijk geen helden.'

'Poefie is oud en rafelig,' zei oma Peperkoek. 'Die arme
poes kan toch niet meer vechten?'

'Pimpertje ook niet,' zei Hannah, 'ze is nog te klein.'

'Met Olivier en Bol hebben we geen contact,' zei Peter,
'die blijven veilig binnen.'

'Kun je niet aan mevrouw Liflafje vragen of ze Bol moed
inspreekt? Ze moet hem aansporen om zijn gebied te verdedigen,' zei Anna.

'Niet iedereen praat met zijn kat,' zei Peter. 'Ze denkt vast
dat ik gek ben als ik dat aan haar vraag.'

Peter keek peinzend naar Gringo.

'Gringo toch niet?' zei Anna verschrikt.

'Waarom niet?' zei Peter. 'Vroeger was hij een held, en eens een held, altijd een held.'

'Gringo is versleten,' zei oma, 'je kunt geen heldendaden meer verwachten van een oude kater.'

'Toch moet er iets gebeuren,' zei Peter. 'Zo kan het niet verder. De katten in de buurt moeten hun gebied terugwinnen, en eentje moet het goede voorbeeld geven.'

*

Peter Peperkoek zat in zijn luie stoel met Gringo de Bliksemkater op zijn schoot. Gringo lag als altijd op de krant, maar sliep niet.

Peter en Gringo waren in een ernstig gesprek verwikkeld. In kattentaal en mensentaal. Dat gesprek ging ongeveer zo:

'Je zult toch al je moed bij elkaar moeten rapen, ouwe gabber,' zei Peter. 'De poezen in de buurt hebben te weinig ervaring met een monster als Moffat. Een ervaren kater als jij moet het goede voorbeeld geven.'

'Waarom ik?' kwekte Gringo.

'Omdat jij de enige bent die zoiets aandurft,' zei Peter. 'Weet je nog hoe je gevochten hebt met Moffat de Oude? Hoe je het stof uit zijn pels hebt geklopt? Die Moffat heeft zich in onze buurt nooit meer laten zien, hij keek wel uit.'

'Ze noemden mij Gringo de Onoverwinnelijke,' zei Gringo fier.

'Die titel kreeg je van Frou-Frou,' zei Peter. 'Frou-Frou was de wijze kater van mevrouw Wisjewasje die tegenover ons woonde. Hij had zijn gebied als eerste Moffat-vrij gemaakt, weet je nog? Hij heeft je laten zien dat je nooit te oud bent om te vechten tegen een kwade duivel.'

75

'Frou-Frou was toen nog niet zo oud als ik nu,' zei Gringo. 'Je vergeet dat ik bejaard ben.'

'Je hebt meer levenservaring dan vroeger,' zei Peter. 'Je bent een kater van gewicht.'

'Dat gewicht telt niet mee,' zei Anna die het gesprek gevolgd had. 'Het zijn geen spieren, het is vet.'

Gringo tuitte zijn lippen. Hij was duidelijk een beetje beledigd.

'Ben ik vet?' zei hij met een dreigende blik naar Anna.

'Je bent zwaar,' zei Anna.

'Dat gewicht kan hij goed gebruiken,' zei Peter. 'Stel je maar eens voor hoe het is als een kater als Gringo op je borstkast zit.'

'Oh zo,' zei Gringo triomfantelijk.

'Gringo is ziek,' zei Anna tegen Peter. 'Je kunt toch geen zieke kater op een pletwals afsturen?'

'Denk je dat ik hem niet aankan?' zei Gringo, nog altijd een beetje op zijn pootjes getrapt.

'Natuurlijk wel,' zei Anna. 'maar ik wil niet dat jou iets overkomt.'

'Ken je de AANVAL-, VECHT- EN HEERSMETHODE nog?' vroeg Peter. 'Die hebben wij jou destijds aangeleerd.'

Gringo dacht diep na.

'Ik herinner me die nog vaag,' zei hij peinzend.

'We zullen alles nog eens herhalen,' zei Peter.

'En ik zal KRACHTVOER voor je koken,' zei Anna Rozenboom.

'Kun je dat nog?' zei Peter Peperkoek.

Nu was Anna op haar teentjes getrapt.

'Je denkt toch niet dat ik zoiets verleer?' zei ze.

Gringo de Bliksemkater keek van Anna naar Peter. Hij zat in het nauw. Het leek wel of de beslissing al genomen was. Het stond al in de sterren geschreven: Gringo de Bliksemkater zou zich opmaken voor zijn laatste gevecht, tegen Moffat de Jonge.

*

De dag dat Gringo de Bliksemkater met Moffat de Jonge zou gaan vechten was een heldere dag. Het was eind augustus. De geur van herfst hing al in de lucht. In de tuin stonden de asters in bloei. De perenboom droeg kleine harde vruchten, en aan de lijsterbes in de tuin van mevrouw Liflafje gloeiden helderoranje bessen.

Anna Rozenboom kookte iets speciaals voor Gringo. Ze stond aan het fornuis en maakte vreemde gebaren boven de pot. Gringo en Peter letten daar niet op, ze waren zulke dingen van Anna gewoon. Maar Hannah en oma Peperkoek vonden het wat vreemd.

'Wat doe je?' vroeg Hannah aan haar moeder.

'Ben je aan het toveren?' zei oma.

'Sjjjt!' zei Peter. 'Laat haar met rust. Breng haar niet uit haar concentratie.'

'Wat doet ze?' vroeg Hannah opnieuw.

'Je moeder kookt KRACHTVOER voor Gringo,' zei Peter. 'Ze heeft bijzondere gaven. Heeft ze je nog nooit verteld dat ze een verre afstammelinge is van Mary Poppins?'

Hannah draaide met haar ogen. Haar ouders waren soms net twee kinderen die nog in sprookjes geloofden.

'Vandaar die puntvoeten,' zei oma begrijpend.

Anna keek verstoord op van haar werk.

'Ze heeft niet graag dat ik het rondvertel,' fluisterde Peter.

'Och,' zei oma Peperkoek met schitterende ogen, 'ik zwijg als het graf. Het blijft in de familie.'

Anna zette Gringo het eten voor op een porseleinen schoteltje.

'Niet schrokken en goed kauwen,' zei ze.

Iedereen stond in een halve cirkel rondom Gringo terwijl hij zijn KRACHTVOER opat. Ook Pimper zat van onder de sofa naar Gringo te kijken.

Gringo likte zijn snor af en keek op naar Peter.

'Wat nu?' mauwde hij.

'Nu moet je de vijand uit zijn tent lokken,' zei Peter. 'Je springt op de tuinmuur en loopt heen en weer. Dat zal Moffat niet zo prettig vinden want dit is nu zijn gebied.'

'Ga je mee?' zei Gringo.

'Ik kan toch niet over tuinmuren lopen,' zei Peter.

'Vroeger liep je wél over tuinmuren en daken,' zei Gringo.

'Dat was vroeger,' zei Peter.

'Die is mooi,' zei Gringo. 'En ik moet wel doen als vroeger? Ik moet in mijn eentje tegen een duivel vechten?'

'Niet terugkrabbelen,' zei Peter. 'Wij kijken naar je vanuit het slaapkamerraam. Als het misloopt, zijn we er zo.'

'Voordat jij beneden bent, ben ik al bont en blauw,' sputterde Gringo.

Hannah had geprobeerd het 'gesprek' te volgen. Ze aaide Gringo over zijn kop.

'Ik geloof echt dat je een held bent,' zei ze.

'En ik wil het wel eens met mijn eigen ogen zien,' zei oma Peperkoek uitdagend. 'Als je laat zien dat je een held bent, zal ik nooit meer zeggen dat ze je een spuitje moeten geven.'

'Nooit meer?' piepte Gringo smekend.

'Nooit meer,' beloofde oma Peperkoek plechtig.

Gringo keek iedereen één voor één aan: Anna, oma, Hannah en Peter. Hij keek ook onder de sofa naar Pimper. Alsof hij voorgoed afscheid van hen nam.

Daarna liep hij op stramme poten naar buiten.

'Arme Gringo,' zei Anna.

Gringo sprong niet onmiddellijk op de tuinmuur. Hij wandelde eerst naar het hok van meneertje Pluis. Het konijn stak zijn neus door het gaas. Gringo duwde zijn neus tegen de neus van Pluis. Het leek wel alsof die twee elkaar een zoentje gaven.

*

Hannah, Anna, Oma en Peter keken vanuit het slaapkamer-raam naar Gringo die op de tuinmuur zat. Hannah hield Pimper vast. Het kleine poesje was erg bang. Gringo had zijn dikke kontje naar hen toe gekeerd. Zijn staart hing in een elegante krul langs de muur. De kater zat rustig te wachten.

'Wat is hij prachtig,' zei Anna met een zucht.

'Een echte held,' zei Hannah.

'Eerst zien en dan geloven,' zei oma.

'Reken maar van *yes* dat hij een held is,' zei Peter.

Oma zwaaide met haar handje naar meneer Kievits die in zijn open raam naar hen stond te kijken.

'Hij gaat vechten,' riep ze met haar hoge stemmetje.

Meneer Kievits hield zijn hand achter zijn oor.

'Wat?' zei hij.

'Hij gaat vechten!' riep Peter luid en hij wees naar Gringo.

Meneer Kievits knikte en stak zijn duim omhoog.

Bij de naaste buren werd ook een raam geopend. Mevrouw Liflafje hing gevaarlijk naar buiten. Ze knelde Bol in haar armen.

'Wat gebeurt er?' vroeg ze.

'Gringo gaat vechten,' zei Hannah.

Iedereen wachtte roerloos af.

In de verte werd een zwarte vlek zichtbaar die pijlsnel gro-ter werd. Iedereen keek toe en hield zijn adem in.

'Een kanonskogel,' fluisterde Hannah. 'Hij zal Gringo ver-pletteren.'

Gringo bleef rustig zitten. Hij likte zijn voorpoot.

'Is hij doof en blind of is hij werkelijk zo dapper?' mompelde Peter.

Moffat de Jonge kwam met tijgersprongen op Gringo af. Gringo bleef zitten.

Moffat moest hevig remmen om niet tegen Gringo aan te botsen, hij verloor bijna zijn evenwicht. Gringo aarzelde geen moment. Hij liet zich zijwaarts met zijn volle gewicht tegen Moffat vallen. Moffat, die toch al wankelde, viel om en stortte plompverloren in de diepte. Hij landde met een harde plof en een krijs. Gringo verspilde geen seconde en liet zich van de tuinmuur vallen. Een voltreffer! Pal op de rug van Moffat die probeerde overeind te krabbelen. Moffat spartelde onder Gringo's gewicht. Hij slaagde erin zich om te draaien. Nu zat Gringo op zijn borstkast.

'Hij vecht als een dikke Japanse worstelaar,' zei Peter verbaasd.

'Kom op, Gringo,' riep mevrouw Liflafje. 'Geef die onderkruiper er maar eens goed van langs!'

Gringo veerde driemaal op en neer. Hij perste met zijn gewicht alle lucht uit Moffats longen. Als katten blauw konden worden van ademnood, had Moffat nu al pimpelpaars gezien. Zijn tong hing uit zijn bek.

Gringo stapte bedaard van Moffat af, als van zijn paard.

Hij haakte zijn klauw in Moffats nekvel.

'Oprotten!' gromde hij. 'Als de vliegende wind.'

Dat was voor iedereen duidelijk. Daar hoefde je geen kattentaal voor te verstaan.

En werkelijk, Moffat veerde overeind en sprong als een haas weg. Hij vloog op de tuinmuur en zette het op een lopen, de staart tussen zijn poten.

Het was zo snel gegaan dat de toeschouwers nauwelijks de kans hadden gekregen om Gringo aan te moedigen. Hannah, Anna, oma, Peter, meneer Kievits en mevrouw Liflafje barstten uit in een luid gejuich: 'Gringo heeft gewonnen! Gringo heeft gewonnen! Gringo heeft gewonnen!'

Gringo keek op met een grijns op zijn snuit.

Olivier en Poef zaten plots op de tuinmuur van De Pimpernel en keken vol bewondering naar Gringo, beneden in de tuin.

Poef zakte door haar poten alsof ze een buiging maakte.

Olivier was te beschaamd om iets te zeggen.

Pimper hing machteloos in Hannahs armen. Het was alsof ze met haar piepstem zei: 'Goed gedaan, papa Gringo!'

Bol, die naast mevrouw Liflafje op de vensterbank zat, miauwde bewonderend: 'U bent werkelijk een Bliksemkater, mijnheer.'

Gringo likte zijn poot en streek ermee over zijn oor.

'Och, zeg maar gewoon Gringo.'

Het vallen van de katten

De gouden dagen van september gleden bijna ongemerkt voorbij. In de tuin van De Pimpernel werden de peren rijp en geel, en ook de bladeren van de boom begonnen te verkleuren. De muren van De Pimpernel gloeiden warm op in het avondlicht. De bewoners waren blij dat de haard 's avonds weer lustig knetterde. Vooral oma Peperkoek en Gringo leken daarvan te genieten.

Sinds de gedenkwaardige dag dat Gringo van Moffat de Jonge had gewonnen, gedroeg oma zich heel anders tegenover de oude kater. Ze zei nooit meer dat Gringo een spuitje moest krijgen. Gringo lag meestal op het haardkleedje terwijl oma lekker in haar luie stoel zat met een dekentje over haar knieën en met de afstandsbediening van de televisie binnen handbereik.

Op een dag stond Gringo op. Hij strekte zijn poten en keek aarzelend naar oma Peperkoek. Anna, die oma net haar kopje thee kwam brengen, hoorde Gringo kwekken.

'Mag ik even, mevrouw?'

Hij sprong verrassend licht op oma's schoot.

Oma Peperkoek streelde verbaasd over Gringo's kop.

'Je bent een lieve jongen,' zei ze.

'Zie je dat?' zei ze trots tegen Anna. 'Ik geloof dat Gringo nu eindelijk ook van mij houdt.'

'Misschien hou jij nu eindelijk van Gringo?' zei Anna.

'Mijn zoon Peter is altijd stapeldol geweest op deze kat,'

zei oma wat jaloers. 'Maar ik begrijp het nu wel, hoor. Gringo is best schattig. Lieve, oude Gringo,' zei ze tegen de kater, die soezerig naar haar opkeek.

*

Hannah zat nu in haar laatste jaar van de lagere school. Er was gelukkig iets veranderd in de klas. Winnie Overstein had voor zichzelf uitgemaakt dat ze Hannah echt aardig vond, en besloot om Hannah niet te laten vallen. Ze hield dapper stand toen Dorien Peeters de vriendschap tussen Winnie en Hannah probeerde op te blazen.

'Je wilt toch niet dik zijn met die Hannah?' zei Dorien. 'Straks krijg jij ook een lange neus.'

'Lange neuzen zijn niet besmettelijk,' zei Winnie. 'En trouwens: Hannah heeft geen lange neus. Heb je ooit al eens goed naar jezelf gekeken in de spiegel?'

Dorien verschoot van kleur.

'Wat is er mis met mij?' vroeg ze.

'Niets. En er is ook niets mis met Hannah,' zei Winnie slim.

Hannah kreeg een warm gevoel toen ze hoorde hoe Winnie haar verdedigde.

Zo werd Hannah bijna ongemerkt opgenomen in het vriendenclubje van Zoë, Dorien en Winnie. En ze voelde zich daar een stuk beter bij. Dorien kon nog wel eens een keertje scherp uit de hoek komen, maar ze had zich bij de nieuwe situatie neergelegd.

Nu pas besefte Hannah hoe erg ze het had gevonden dat ze buitengesloten werd, en hoe eenzaam ze vorig schooljaar geweest was. Juist omdat ze zich dat allemaal zo goed herinnerde, waakte ze over Sara Vervliet. Ze liet niet toe dat het spichtige meisje geplaagd werd. Er ontstond een nieuw evenwicht in de klas. Een rust die af en toe verstoord werd door de plagerijen van Lucas De Wachter. Maar die waren willekeurig als de bliksem, ze konden iedereen treffen.

In De Pimpernel was de sfeer ook rustiger. Oma was helemaal in de ban van Gringo's charmes. Je kon die twee vaak in elkaars buurt vinden. Als oma pijn had, ging Gringo bezorgd naast haar zitten en dan leek het wel alsof haar pijn verminderde door zijn gesnor.

Bol en Pimper hadden ontzag voor Gringo sinds die oude kater Moffat de Jonge had verslagen. Op een keer zat Hannah in de avondschemering in haar boomhut. Ze zag de drie katten in het gras zitten. De oude kater kwekte aan één stuk en Bol en Pimper luisterden beleefd. Hannah deed moeite om hun gesprek te verstaan.

'Wees een troost voor oude en zieke mensen,' zei Gringo plechtig. 'Wij krijgen te eten van onze baasjes. Wij krijgen een dak boven ons hoofd, een kattenbak en een kattenluik en vroeg of laat moeten we er iets voor terugdoen. Voor wat hoort wat.'

'Wil je een Heer worden?' vroeg hij aan Bol.

'Of een echte Dame?' vroeg hij aan Pimper.

'Wees dan galant. Bescherm de zwakkere. Dan word je oud met waardigheid.'

'Wie moeten we beschermen?' zei Bol.

'Begin dicht bij huis,' zei Gringo. 'Het konijn Pluis bijvoorbeeld.'

Pimper en Bol durfden Gringo niet recht aan te kijken.

'Ik heb wel gezien hoe jullie meneertje Pluis hebben gepest,' zei Gringo. 'Is dat wel eerlijk? Jullie met zijn tweeën tegen een arm konijn dat in een hok zit.'

Pimper keek naar de lucht. Bol keek naar het gras onder zijn poten.

'Ik heb gezien dat jullie goed kunnen samenwerken,' zei Gringo. 'Maar probeer in het vervolg samen te werken op een nuttige manier. Om te jagen bijvoorbeeld. Een echte heer of dame is ook beleefd,' vervolgde Gringo. 'Ze zijn niet brutaal tegen oude katten die toch niets kunnen terugzeggen omdat ze niet meer kunnen spreken. Woorden als "vlooienbal" en "oude ragebol" kunnen heel kwetsend zijn.'

'Hij heeft het over Poef,' siste Pimper zachtjes tegen Bol.

Gringo deed alsof hij niks gehoord had en ging voort: 'Een heer of een dame is ook dapper.'

'We zijn toch best dapper, Pimper en ik,' sputterde Bol tegen.

Gringo keek Bol indringend aan.

86

'Dat wil ik wel eens zien,' zei hij. 'Ik daag jullie uit: vroeg of laat zullen jullie toch tegen Moffat moeten vechten. Jullie moeten dit gebied Moffat-vrij houden.'

'Ik heb die Moffat niet meer gezien,' piepte Pimper.

'Hij komt terug,' zei Gringo onheilspellend, 'vroeg of laat...'

Hannah zag hoe Bol en Pimper plots dikker werden. Hun haren waren van schrik overeind gaan staan.

*

'Waar is Poefie? Heeft iemand haar de laatste tijd nog gezien?' vroeg oma Peperkoek.

'Al dagen niet meer,' zei Hannah.

'Die feeks zal Poef toch niet vergiftigd hebben?' zei oma Peperkoek. 'Die met dat geel geverfde haar. Ze houdt alleen maar van die dikke Olivier.'

'Bedoel je de mevrouw van twee huizen verderop?' zei Peter. 'Dat is een brave ziel. Ik hoor haar vaak zingen. Mensen die zingen vermoorden geen katten.'

'Wat weet jij daarvan?' zei oma strijdlustig. 'Ze zingt ordinairrre liedjes. Mensen die dat soort liedjes zingen zijn niet te vertrouwen. Ze heeft geen smaak. Ze is vulgairrr.'

Oma liet de Franse r rollen om haar afschuw te benadrukken.

'Ze heeft niet jóúw smaak,' zei Peter.

'Ik ben moderrrn,' zei oma fier.

'Ja,' zei Peter, 'je bent een zeer moderne vrouw voor je leeftijd.'

Een week later stond oma droevig bij het open raam te kijken, een bord met restjes in haar handen.

'Poefiiiie!' riep ze zo hard ze kon met haar hoge stemmetje. 'Poefiiiie!'

'Ik heb Poef al twee weken niet meer gezien, oma,' zei Hannah.

Oma keek naar een verwelkt blad dat zich van de perenboom losmaakte en langzaam naar beneden zweefde.

'Het vallen van het blad, het vallen van de kat,' zei oma Peperkoek zachtjes voor zich uit. 'Poef is dood. Ze hebben haar vergiftigd.'

'Dat weet je toch niet, oma,' zei Hannah, 'misschien heeft iemand haar in huis genomen.'

'Niemand neemt een wandelend vlooiencircus in huis,' zei oma. 'Poef is vergiftigd. En meneer Kievits heb ik ook al dagen niet meer gezien.'

'Misschien is hij ziek,' zei Hannah. 'Zal ik eens aanbellen om het te vragen?'

'Iedereen gaat dood,' zei oma met trillende onderlip.

'Jij niet oma,' zei Hannah, 'jij kunt nog heel lang leven.'

Het was begin oktober toen meneer Kievits werd begraven. Oma ging niet mee naar de begrafenis omdat het te koud was in de kerk, maar ze schreef in haar beverige handschrift wel een kaartje vol mooie troostende woorden voor de dochter en de kleinkinderen van meneer Kievits.

Poef kwam niet meer terug.

Soms was het een zegen dat oma Peperkoek wat kinderlijk was en alles weer snel vergat. Na een poos vroeg ze niet meer naar Poef en naar meneer Kievits. Haar geheugen was als een schoolbord waarop de pas geschreven woorden met een spons werden uitgeveegd.

*

Op een avond in november joegen de wolken langs de volle maan. De herfstwind deed de takken van de perenboom zwiepen, en de wind huilde in hoeken en kieren.

Pimper keek onrustig door het raam naar buiten. Was het werkelijk de wind die ze hoorde? Of was het het gejank van een nijdige kater?

Bol had blijkbaar ook iets onrustwekkends gehoord. Hij sprong van de tuinmuur en ging op de vensterbank zitten. Pimper en Bol drukten hun neuzen tegen elkaar. Alleen het glas zat ertussen.

Pimper hupte van de vensterbank en liep naar de kattendeur.

'Je gaat toch niet naar buiten, Pimper. Het is akelig weer,' zei Hannah.

Pimper duwde haar kop tegen Hannahs benen. Ze piepte smekend.

Bij de deur stond Bol op Pimper te wachten.

De twee katten slopen behoedzaam de hoek om, naar het afdak waaronder het hok van Pluis stond. Hannah deed het buitenlicht aan. Gringo was Hannah tot aan de deur gevolgd. Hij leunde tegen Hannahs been en gaapte. De oude kater was de laatste tijd vaak slaperig.

Gringo miauwde en leek te vragen: 'Wat is er?'

Hannah had zich verzet tegen het feit dat ook zij het miauwen van de katten begon te verstaan. Ze beschouwde het als een bewijs van eenzaamheid en wilde zich er niet meer mee bezighouden. Maar op een belangrijk moment als dit vergat ze die belofte aan zichzelf helemaal.

'Ik weet niet wat er gaat gebeuren,' antwoordde ze, 'maar Pimper en Bol zijn duidelijk iets van plan.'

Hannah en Gringo keken om de hoek, onder het afdakje. Daar zat hij: Moffat de Jonge.

Moffat grauwde en ging op zijn achterste poten staan. Hij sloeg zijn klauwen door het gaas van het hok van Pluis. Het konijn drukte zich in het kleinste hoekje.

Hoe snel bonst een bang konijnenhart, schoot het door Hannahs hoofd.

Voor Hannah de kans kreeg om Pluis tegen die duivel te beschermen, waren Bol en Pimper al op de lelijke kater af gevlogen. Hannah zag een kluwen van klauwen, staarten en tanden. Het kluwen krijste en gilde. Hannah stond verstijfd van schrik te kijken. Diep uit Gringo's keel klonk een dreigend geluid. Hij maakte aanstalten om zich in het gevecht te mengen.

'Hier blijven, Gringo!' zei Hannah.

Uit het kluwen stak af en toe een poot of een staart die Hannah herkende. Moffat de Jonge gaf zich niet zo snel gewonnen, hij bleef uithalen. Het was een uitputtingsslag. Het kluwen rolde over het grasveld tot bij de tuinmuur... Plots maakte er zich een zwarte schaduw uit los. De schaduw vloog tegen de tuinmuur op en schoot weg als een zwarte donderwolk met ogen die flikkerden als de bliksem.

Bol en Pimper zaten uitgeput in het gras te hijgen. Bol mauwde Moffat de Jonge na. Hannah leek het volgende te horen:

'Dat ik je hier nooit meer zie! Kun je wel, arme konijntjes aanvallen. Lelijk monster!'

'Rustig, Bolkat, maak je niet dik,' zei Gringo sussend. 'Maak je geen zorgen. Die is weg. En hij blijft weg, aan zijn rotvaart te zien. Goed gedaan, jongen!'

'En ik?' piepte Pimper.

'En het meisje ook,' zei Gringo. 'Neem me nu niet kwalijk, luitjes. Ik ga naar binnen. Straks vat ik nog kou.'

Bol en Pimper kwamen uitgelaten naar Hannah gehuppeld, hun staarten fier omhoog.

'Heb je mij gezien,' zei Bol met een grijns op zijn snuit.

'En mij en mij en mij!' riep Pimper.

'Wat waren we geweldig,' zei Bol.

'Fantastisch eigenlijk,' zei Pimper.

'Mag ik nog even mee naar binnen?' vroeg Bol aan Hannah. 'Ik wil nog even met meneer Gringo over aanvalstechnieken praten.'

Hannah keek naar binnen en zag dat Gringo met stramme poten op zijn krukje klom. Hij ging met een luide zucht liggen.

'Beter niet,' zei Hannah, 'Gringo is moe.'

Diezelfde avond ging Peter nog even naar Gringo kijken die – tegen zijn gewoonte in – in de keuken op zijn krukje was blijven liggen en niet in de woonkamer bij de haard.

Hij vond Gringo op de grond, in een plasje bloed.

Zijn tong hing uit zijn bekje, maar hij leefde nog. Hij keek met grote smekende ogen naar Peter en kon duidelijk geen geluid meer uitbrengen.

'Mijn gabbertje,' zei Peter, 'mijn ouwe kameraad.'

Hij nam Gringo voorzichtig in zijn armen en droeg hem naar boven.

Hannah barst in tranen uit. Anna aaide het arme dier over zijn uitgeputte kop.

'Gringootje,' zei ze, 'Gringolito.'

Anna zei heel beslist tegen Peter: 'Niet bij de dierenarts die Pluis heeft ingeënt.'

'Zeker niet,' zei Peter, 'we rijden helemaal naar tante Loes. Die is toch dierenarts?'

'Waarom?' huilde Hannah.

'Lieve schat,' zei Peter, 'we mogen Gringo niet nog meer laten lijden. We moeten hem een spuitje laten geven.'

Hannah begon nog harder te snikken maar ze begreep het wel.

'Ik wil mee,' snifte ze.

'We gaan allemaal mee,' zei Anna. 'Oma ligt al in haar bed. Die kunnen we wel eventjes alleen laten.'

'We moeten flink zijn,' zei Peter. 'We zullen in de auto voor Gringo zingen.'

'Wat gaan we zingen?' zei Hannah.

'Zijn lievelingsliedje,' zei Peter, 'het liedje dat mama altijd zingt als ze hem de trap op draagt.'

Pimper zat voor het raam te miauwen toen ze Gringo naar buiten droegen.

'Gringo,' schreeuwde ze, 'Gringo!'

Gringo lag bij Anna op schoot. Hannah zat naast hen op de achterbank en streelde voorzichtig zijn hijgende flank.

De ogen van Gringo keken glazig in het niets. Het was niet duidelijk of hij hen nog kon horen.

Hannah, Anna en Peter zongen terwijl de tranen over hun wangen stroomden:

'Oh, oh Gabbertje,
zing een liedje voor mij alleen.
Oh, Schattekat,
want voor mij blijf je nummer één.
Zing een lied voor de zon en de maan,
zing een lied met een lach en een traan.
Oh, oh Gabbertje...'

Oma Peperkoek

'Huil je nog steeds om Gringo? Het was toch maar een huisdier,' zei oma Peperkoek.

'Ik vind het verschrikkelijk dat ik hem nooit meer kan aaien,' zei Hannah.

'Een kat is en blijft een dier,' zei oma, 'en Gringo was versleten. Je hebt Piepertje toch nog?'

'Pimper,' zei Hannah.

'Piepertje past beter bij haar. Die kat piept,' zei oma. 'De mensen overdrijven, hun huisdieren gaan voor alles. Vroeger was dat anders. Ik had ook konijntjes toen ik klein was. Voor mij waren dat ook knuffeldieren, maar als ze te groot werden, gingen ze zonder pardon de pot in.'

'Daar at je toch niet van?' zei Hannah.

'Natuurlijk wel. Als ik niet wilde eten, kreeg ik niets anders op mijn bord. Wij waren niet zo verwend als de kinderen van tegenwoordig. Wij hebben een oorlog meegemaakt. Mijn vader ging op jacht in de herfst. Hij bracht fazanten, patrijzen en hazen mee en soms, als hij geluk had, een reebokje.'

'Ocharm,' zei Hannah.

'Niks ocharm. Het was lekker. Ik ben dol op wild. Spijtig dat je moeder dat niet kan klaarmaken.'

'Dat kan ze wel,' zei Peter die alles gehoord had.

'Maar ze doet het niet,' zei oma. 'Eet ze niet graag wild?'

'Ze mag het niet eten van mij,' zei Hannah fel.

'Heb je te klagen over het eten?' zei Peter. 'Anna doet haar best om je alle dagen vers en gezond eten voor te schotelen.'

'Elke week spaghetti,' zei oma, 'of andere pasta. Dat is toch geen eten?'

'Ik dacht dat je dat graag lustte?'

'Maar niet elke week. En alle dagen soep,' mompelde oma Peperkoek, 'ik heb een hekel aan soep.'

'Ze doet het speciaal voor jou. Als je alle dagen verse soep eet, leef je langer. Dat is wetenschappelijk bewezen,' zei Peter. 'Je kunt niet elke dag kip met appelmoes eten.'

'Haas met appelmoes is ook lekker.'

'Soms vraag ik mij af wie hier verwend is,' zei Peter.

'Als de zon op de ramen schijnt, zie je strepen,' zei oma Peperkoek. 'Wanneer ga je de ramen nog eens wassen, Anna?'

'Ik kom net thuis van mijn werk, oma. Het was erg druk in de bloemenwinkel. Ik ben moe.'

'Ik poetste de ramen om de veertien dagen,' zei oma. 'Zonder strepen. Zal ik je eens laten zien hoe het moet? Je moet ze met krantenpapier oppoetsen en vooral goed in de hoekjes wrijven.'

'Ik heb geen tijd om de ramen om de veertien dagen te lappen, oma. Ik werk deeltijds en ik schrijf boeken. Dat weet je toch?'

'Wij deden vroeger alles met de hand: strijken met een ijzeren strijkbout, luiers wassen. Wij hadden geen wegwerpluiers en ik had vijf kinderen. Daar zat een tweeling bij. Een tweeling is dubbel werk. De hele dag was ik bezig met schrobben en boenen. Maar ik deed het met plezier. Als ik de stoep veegde, begonnen de buurvrouwen ook.'

'Dat herinner ik me nog,' zei Peter, 'het was een schoonmaakwedstrijd.'

'Ik had geen tijd om boekjes te lezen of om tot negen uur in mijn bed te liggen,' zei oma.

'De tijden zijn veranderd,' zei Anna kregelig. 'Je kunt vroeger niet met nu vergelijken.'

Oma stond onder aan de trap te roepen met haar hoge stemmetje:
'Peter! Peter! Peter!'
En toen ze niet onmiddellijk antwoord kreeg: 'Pe-ter-tjeuh!'
Peter zat boven aan zijn bureau te schrijven. Hij schrok van oma's gegil en kwam ongerust de trappen af.
'Wat is er?'
'Wat ben je aan het doen, schat?'
'Ik zit te schrijven. Werk net aan een moeilijk stuk.'
'Wanneer drinken we thee? Ik zit hier al zo lang alleen.'
Peter zuchtte.
'Nog vijf minuutjes, dan zet ik thee en kom ik even bij je zitten.'

Oma zat voor de televisie. Anna stond in de keuken aan het fornuis in de saus te roeren.
'Anna! Anna!' riep oma.
'An-na-tjeuh!'
'Wat is er?'
'Wat ben je aan het doen, schat?'
'Ik ben saus aan het maken. Als ik die te lang alleen laat, kookt hij over.'
'Er is juist een goed programma op de televisie.'
Anna kwam kijken.
'Wat is er op?'
'Jammer,' zei oma. 'Het is net afgelopen. En het was zo spannend.' Ze snoof: 'Wat ruikt hier zo aangebrand?'
Anna liep op een holletje terug naar de keuken.
'Oei, mijn saus kookt over,' zei ze.
'Als je kookt, moet je bij het vuur blijven, Anna,' zei oma Peperkoek afkeurend.

'Hannah! Hannah! Han-nah-tjeuh!' riep oma Peperkoek.

'Wat is er oma?' zei Hannah.

'Wat ben je aan het doen, schat?'

'Ik maak mijn huiswerk, oma.'

'Welk huiswerk?'

'Rekensommen. Heel moeilijke.'

'Al dat werk en er is iets moois op televisie. Wil je niet samen met mij naar deze documentaire kijken? Die gaat over olifanten in Afrika. Als je daarnaar kijkt, is het alsof je echt in Afrika bent en hoef je er niet meer naartoe.'

'Ik moet echt mijn rekensommen maken, oma.'

'Goh, daar had ik vroeger zo'n hekel aan. Waarom schrijf je de sommen niet over van een vriendinnetje? Dat deed ik ook altijd.'

'Dat mag toch niet, oma?'

'Er is zoveel wat niet mag,' zei oma ongeduldig.

'Je laat Pluis toch niet meer binnen?' zei oma tegen Hannah. 'Dat vieze beest maakt alles smerig. Het keutelt maar raak en het knaagt aan de rieten stoelen.'

Hannah stond met Pluis in haar armen bij de deur.

'Ik zal hem goed in de gaten houden,' zei ze.

'Hij keutelt en hij plast,' zei oma.

'Altijd op hetzelfde plekje,' zei Hannah. 'Je kunt de keuteltjes zo bij elkaar vegen.'

'Maar de plasjes niet,' zei oma. 'Die vreten gewoon de tegels aan. Er is al een vuile vlek op de vloer die er nooit meer af gaat. Konijnen horen buiten in een hok, Hannah.'

Anna dook op achter oma's rug. Ze gebaarde naar Hannah en wees op oma: 'Straks, als oma slaapt.'

'Je laat hem toch niet rondlopen als ik in bed lig?' zei oma wantrouwig.

'Nee hoor, oma,' zei Hannah.

'Je moet trouwens maar tegelijk met mij gaan slapen. Kinderen die naar school gaan, moeten vroeg naar bed.'

'Toch niet om halfacht?' protesteerde Hannah.

'Als je nu gaat slapen, ben je morgen fris en heb je geen last van een ochtendhumeur,' zei oma Peperkoek.

'Pieper, jij stoute kat,' riep oma. 'Ga van de tafel af! Peter, kun jij die kat niet wat manieren leren? Gringo mocht alles en als het zo doorgaat, wordt deze kat ook de baas in huis.'

'Ze doet toch geen kwaad. Ze is heel voorzichtig. Pimper heeft nog nooit iets omgestoten,' zei Peter.

'Een kat op de tafel is onhygiënisch. Ik begrijp jullie niet. In dit huis zijn die stomme dieren de baas.'

*

'Ik kan er niet meer tegen,' zei Anna op een avond.

Peter hoefde niet te vragen waarover ze het had, hij begreep haar onmiddellijk.

'Oma is soms een lastpak,' zei hij met een zucht.

'Ik begrijp dat ze het heel moeilijk heeft, maar toch,' zei Anna, 'er zijn grenzen. Ik ben zo dolgedraaid als een tol. Ze zit me de hele dag op te jagen. Ze kan het niet uitstaan als ik even met een boek in een stoel ga zitten om uit te rusten. Ze zorgt ervoor dat ik altijd in beweging blijf. Eerst staat er een bloem niet goed in een vaas, en dan hangt er weer ergens een spinnenweb. Ik word er gek van.'

'Omdat ze zelf bijna niet meer kan bewegen laat ze iedereen om haar heen lopen,' zei Peter. 'Ze heeft veel pijn. En het komt ook door de medicijnen. Door de peppillen en de chemotherapie verandert haar karakter. Ik herken mijn eigen moeder niet meer. Zo was ze vroeger toch niet?'

'Vroeger niet, maar nu wel,' zei Anna. 'En het moet wel leefbaar blijven hier in huis. Jij kunt bijna niet meer rustig werken, ik word bloednerveus en Hannah laat ze ook niet met rust. Het kind mag zich bijna niet meer bewegen. Ze kan niet eens een vriendinnetje uitnodigen. En ze mag nog geen boterham met hagelslag eten want de chocoladekorreltjes zouden wel eens op de grond kunnen vallen.'

Peter zuchtte.

'Wat moeten we doen?' zei hij.

'Misschien kunnen we eens met oma praten?' zei Anna.

Oma had tranen in haar ogen. Ze keek van Peter naar Anna. Peter had alle kleine onhebbelijkheden van oma op een rijtje gezet.

'Wij zijn mensen, geen muizen,' zei hij. 'Jij verwacht van ons dat wij er zijn als je ons nodig hebt, en voor de rest van de tijd moeten we onzichtbaar blijven. Zo werkt het niet, moeder. Wij zijn mensen en we hebben een eigen leven.'

'Ik doe nog zo mijn best,' zei oma. 'Ik ben toch braaf? En er zijn dingen die jullie doen, die ik ook niet zo leuk vind.'

'Dat beseffen we,' zei Anna.

'Ik zeg toch niks?' zei oma strijdlustig. 'Ik zeg nooit iets.'
Anna keek wanhopig naar Peter.

'Ik loop hier in de weg. Ik ga terug naar mijn eigen huis,' zei oma.

'Je kunt niet meer alleen wonen, moeder,' zei Peter.

'Zo bedoelen we het toch niet?' zei Anna.

'Hoe bedoel je het dan wel?' zei oma. 'Ik voel wanneer ik ergens te veel ben.'

'Je bent hier niet te veel, oma,' zei Anna.

'Ik ga bij mijn eigen dochter logeren,' zei oma. 'Ik bel Loes. Die komt me wel halen als ik het vraag.'

'Bel Loes maar,' zei Peter bitter. 'Ik ben tenslotte niet je enige kind.'

Oma Peperkoek belde tante Loes en tante Loes kwam onmiddellijk.

Oma pakte haar koffers en was vertrokken.

Hannah kwam om vier uur thuis. De Pimpernel voelde vreemd leeg aan. Geen stem die haar toezong: 'Ben je daar Hannahtje?'

'Waar is oma Peperkoek?' vroeg Hannah aan Anna in de keuken. 'Wat is er? Huil je?'

'Het zijn de uien,' snufte Anna. 'Ik ben uien aan het pellen.'

'Je gezicht is helemaal rood,' zei Hannah, 'je huilt wel.'

'Oma is vertrokken, ze gaat bij tante Loes logeren.'

'Is er iets gebeurd?'

'We hebben met oma gepraat.'

'Hebben jullie ruzie gemaakt?'

'Niet echt,' zei Anna aarzelend.

'Wanneer komt ze terug?'

'Dat weet ik niet. Oma heeft hier zeven maanden gelogeerd. Misschien is het normaal dat ze nu eens ergens anders naartoe wil?'

'Jullie hebben haar weggejaagd!' zei Hannah beschuldigend.

'We hebben haar niet weggejaagd,' zei Anna, 'maar je begrijpt het toch ook wel: met oma in één huis leven is niet gemakkelijk.'

'Maar daarom jaag je haar toch niet de deur uit?' zei Hannah boos.

Die avond kon Hannah de slaap niet vatten. Ze had Pimpertje mee naar boven gesmokkeld, de kleine kat lag keihard te snorren bij haar oor.

De Pimpernel voelde al leeg aan zonder Gringo, en nu was oma Peperkoek ook nog weg. Waarom? Zo lastig was ze toch niet? Waarom hadden haar ouders haar weggejaagd met hun scherpe opmerkingen?

Als ze oma beu waren, konden ze Hannah evengoed beu worden. Wat zou er dan gebeuren? Zouden ze haar met hun scherpe woorden ook de deur uit jagen, zoals ze met oma hadden gedaan?

Hannah zag zichzelf al met een koffertje langs de straat lopen. Ze belde aan bij oma Rozenboom.

'Dag oma, mag ik hier een tijdje logeren?'

'Natuurlijk, kindje,' zei oma Rozenboom. 'Je bent altijd welkom. Is er iets mis thuis?'

'Ik pas niet in De Pimpernel, oma,' zou Hannah dan zeggen. 'Ik doe soms dingen die mijn ouders niet leuk vinden. Ik kan niet goed rekenen en dat werkt op de zenuwen van mijn vader. En soms ben ik brutaal en daar kan mijn moeder niet tegen.'

Oma Rozenboom zou vast wel wijze raad kunnen geven.

'Het leven is geen spelevaren,' zou ze zeggen, 'je moet doorzetten, ook als het moeilijk wordt. Ouders zijn ook maar mensen, Hannah. Ze zijn niet perfect. En dat is maar goed ook, want perfecte ouders zijn saai. En volmaakte kinderen bestaan niet. Jij bent meer dan goed zoals je bent. En je moet niet twijfelen aan jezelf. En als je ouders soms naar tegen je doen, moet je het hen maar vergeven. Kop op – waar een wil is, is een weg!'

Zou dat soms voorkomen, dacht Hannah: ouders die hun kinderen beu waren en hen wegstuurden? Als zoiets met oma's kon gebeuren, waarom dan niet met kinderen?

*

De Pimpernel leek groter nu oma Peperkoek er niet meer was.

Hoe had een klein vrouwtje zo veel tijd en ruimte in beslag kunnen nemen? Anna zat een hele namiddag in een stoel en las een dik boek, Peter schreef in één ruk een nieuw gedicht, en Hannah kon eindelijk aan Winnie Overstein vragen om te komen spelen. Dat was fijn.

Toch was Hannah nog steeds boos op haar ouders.

Een oma wegjagen, dat doe toch je niet, dacht ze. Zijn dat dezelfde mensen die mij vertelden dat ik respect moet hebben voor oudere mensen? Geen wonder dat oma razend is. Is oma nu ook boos op mij?

Papa heeft gezegd dat oma niet lang meer zal leven. Stel je voor dat oma Peperkoek sterft voor alles weer goed komt. Dan zullen mama en papa zich eeuwig schuldig voelen. Net goed!

Maar dan zie ik oma nooit meer terug…

Konijn met vleugels

31 oktober, de avond van Halloween. De perenboom leunde met zijn kale takken tegen een muur van mist. Alsof hij het moeilijk vond om overeind te blijven met de zware boomhut in zijn kruin. De twee raampjes en de deur van de boomhut leken op zwarte ogen en een mond. Alleen de dikke pompoen die in het deurgat stond, was een gloeiende vlek. Hannah had er een griezelig gezicht in uitgesneden en er een kaars in gezet. Het was alsof de boomhut haar oranje tong uitstak.

Hannah droeg een dodenmasker en een wit laken om haar schouders. Winnie was een heks met punthoed en Greetje was een zombie met een groen gezicht. Ze dansten wild om de brandende potkachel in de tuin.

'Stoppen met dansen!' zei Peter. 'Tijd om een wens te doen.' Hij stak een bamboestok in de schouw van de kachel. Met een sissend geluid ontsnapte er een stoomwolkje uit de holle stok.

'Als deze knalt, mag Greetje een wens doen,' zei hij.

De bamboestok knalde.

'Nu Winnie,' zei Peter bij de volgende stok.

Nog een knal.

'Nu twee stokken tegelijk voor Hannah en Anna.'

Een streepje vuurwerk ontsnapte fluitend uit de bamboe. Er volgden twee knallen kort na elkaar.

'Waw, dat was een voltreffer!' zei Peter. 'Die wensen komen zeker uit.'

Hannah deed haar ogen dicht.

Ik wens dat alles weer goed komt met oma Peperkoek, dacht Hannah. Ik wens dat ze niet te veel pijn meer moet lijden.

Die avond aten ze gebraden kalkoen met gebakken appeltjes.

Wat zou oma dit lekker hebben gevonden, dacht Hannah.

De volgende dagen was Hannah even somber gestemd als het weer. Het was vakantie en het was te stil in huis. Ze miste Gringo. Ze miste oma. En ze miste Poef, de rafelige kat die als een standbeeldje op de vensterbank van de keuken op eten zat te wachten.

Hannah had oma Peperkoek al twee weken niet gezien. Ze had wel alle dagen met haar gebeld. Maar wat kon je door de telefoon zeggen?

'Dag oma, ik mis je. Ben je nog boos?'

'Ik ben toch niet boos, schat.'

'Hoe is het met je? Wanneer kom je terug?'

Oma klonk zo ver door de lijn. En haar antwoord was altijd hetzelfde.

'Met mij is alles goed. Hoe gaat het met jou?'

Alles goed. Kon Hannah dat maar geloven. Het drong langzaam tot haar door dat alles helemaal niet zo goed ging met oma. Ze merkte dat oma alles wat ze vertelde de volgende dag al vergeten was. Oma kon niets meer onthouden. Elke dag maakte ze hetzelfde praatje. Was het omdat ze niets meer meemaakte of was het omdat ze vergat wat ze had meegemaakt?

Anna probeerde het uit te leggen: 'Als een kind groeit, wordt zijn wereld elke dag een beetje groter. Als iemand oud wordt, gebeurt soms het omgekeerde: dan wordt de wereld elke dag een beetje kleiner. In een kleine wereld gebeurt niet veel. En een oud hoofd is soms als een oud huis: behangen met herinneringen. Er is geen plaats meer voor iets nieuws.'

Dat vond Hannah een verschrikkelijke gedachte. Niet meer maar almaar minder: minder avontuur, minder mensen, minder leven. Een wereld die kleiner werd en je insloot, tot je op de duur in een kooitje gevangenzat.

Ze zag het voor zich: oma Peperkoek als een piepend vogeltje in een veel te kleine kooi. Een ziek vogeltje. Want zieker werd ze ook. Ze had een diepe wond in haar been die nooit meer zou genezen, ze had het altijd koud en een ondraaglijke pijn in haar rug. Geen wonder dat ze soms lastig was.

Bij tante Loes was oma braver. Tante Loes was wel iets strenger voor oma.

'Ik kon toch niet streng voor haar zijn?' zei Anna. 'Ik ben haar schoondochter.'

'Misschien heeft het daar niet eens mee te maken,' zei Peter, 'misschien is ze gewoon braver zonder peppillen. De dokters zijn gestopt met die speciale behandeling, die helpt toch niet. Het enige goede nieuws is dat oma's haar weer groeit. Ze heeft al kleine stoppeltjes.'

Hoe lang zou oma's haar nu al zijn, dacht Hannah. En heeft het dezelfde zilverwitte kleur of groeit er een ander soort haar uit haar hoofd? Rood en springerig, zoals het vroeger was? Het duurt nu niet lang meer, dan is oma dood. Het is niet eerlijk. Winnie heeft nog twee oma's en één opa. En Dorien, die is pas verwend! Die heeft er zes: twee oma's, twee opa's en nog een stiefoma en een stiefopa. Binnenkort is alleen die lieve oma Rozenboom nog over. Oma Rozenboom met een hart dat de tijd wegtikt als een tijdbom.

*

De dagen gingen voorbij en oma Peperkoek kwam niet op bezoek. Ze was veel te ziek en mocht niet naar buiten van de dokter.

Het was al bijna Sinterklaas. 's Morgens vroor het. De wolken kleurden roze tegen een blauwgroene lucht, alsof de Sint met zijn helpers nog druk bezig was met het bakken van de laatste lading speculaas.

Hannah had het vroeger altijd heerlijk gevonden als Anna haar tijdens de dagen voor Sinterklaas naar school bracht. Die strakgespannen verwachting die als een snaar trilde in je buik. En dat liedje in je hoofd dat je maar half begreep:

Vol verwachting klopt ons hart,
wie de koek krijgt, wie de gard...

Hannah zat dan in het stoeltje, achter op de fiets. Anna vertelde over de bedrijvige drukte in de hemel. Over de koekenbak die daar aan de gang was. Hoe de Zwarte Pieten de koeken uit de oven haalden met metalen scheppen op lange stokken. Hoe Sinterklaas vanaf zijn troon een oogje in het zeil hield. Af en toe keek de Sint door de roze wolken naar beneden. Soms zag je zijn wenkbrauwen verbaasd omhooggaan en dan noteerde hij iets in het grote boek dat naast hem op een tafeltje lag.

*

Op sinterklaasavond mocht Pluis mee komen kijken. Hij hupte rond de volgeladen tafel, pakte een pindanoot van de grond en gooide die in de lucht.

'Bravo Pluis!' zei Hannah.

Het konijn gooide de ene pindanoot na de andere de lucht in.

'Maf beest,' zei Peter terwijl hij Pluis van de grond plukte en wiegde.

'Hier,' zei Anna, 'leg hem maar in deze kom, tussen de mandarijntjes.'

Peter legde Pluis in de kom en Anna schikte de mandarijntjes om hem heen.

'Konijn met mandarijn zal ook wel lekker zijn,' zei Anna
terwijl ze Pluis achter zijn oren krabde.

Maar de tijd dat ze Pluis wou opeten was al lang voorbij.

'Dit konijn is een levende knuffel,' zei Peter. 'Je kunt met
hem doen wat je wilt, hij vindt alles goed.'

'Strikjes! Strikjes!' piepte Pimper ondertussen. Ze sprong
uitgelaten van het ene pakje naar het andere, ze werd gek
van al die strikjes. Ze knabbelde de lintjes van de pakjes af,
sleepte ze mee en verborg ze onder de sofa, bij de ganzen-
en pauwenveer die ze ergens had gestolen.

Pimper was een echte schattenjager.

'Dit is de eerste keer dat Gringo er niet bij is,' zei Hannah.

*

'Ik maak mij zorgen om Hannah, zei Anna. 'Ze is zo stil de
laatste tijd. Meestal houdt ze alleen op met praten als ze ziek
is of als ze problemen heeft.'

'Ze is niet ziek,' zei Peter. 'Ze mist Gringo en ik denk dat ze nog steeds een beetje boos op ons is omdat oma niet meer bij ons woont. Dat kind heeft het ook zo zwaar gehad. Gringo dood. Poef weg. Oma verhuisd.'

'Gelukkig gaat het nu wel beter op school,' zei Anna. 'Ze heeft tenminste vriendinnen.'

'Als je Dorien Peeters een vriendin kunt noemen,' zei Peter.

'Hannah heeft Winnie en dat is voor haar voldoende,' zei Anna. 'Je weet hoe het met meisjes gaat: één hartsvriendin is genoeg.'

'Ik maak mij zorgen om Pluis,' zei Anna tegen Hannah. 'Hij eet te weinig. Hij laat zelfs zijn dure knabbelstokken liggen. Een konijn hoort dik te zijn in de winter. Pluis is te mager.'

'Maar hij knaagt wel aan de bomen en aan de klimop als hij daar de kans toe krijgt,' zei Hannah.

'Klimop is giftig,' zei haar moeder. 'Hij mag niet meer loslopen in de tuin.'

'Dat is wel jammer,' zei Hannah. 'Net nu Pimper en Bol Pluisje met rust laten.'

'Dat is waar,' zei Anna verwonderd, 'sinds die twee tegen Moffat de Jonge hebben gevochten, vallen ze Pluis niet meer lastig.'

'Misschien mist Pluisje Gringo?' zei Hannah.

Anna pakte Hannah stevig vast. 'We missen Gringo allemaal,' zei ze.

*

Op een avond zat de wind gevangen in de binnentuinen tussen de huizen en liet vensters en deuren rammelen.

'Wat een akelig weer,' zei Anna.

'Een winterstorm,' zei Peter die voor het raam stond en de zwarte nacht in keek.

'Zullen we het hok van Pluisje binnen zetten?' zei Hannah.

'Waarom?' zei Peter. 'Je moet niet overdrijven. Konijnen zijn het gewend om in alle weersomstandigheden buiten in hun hok te blijven. Hij zit veilig in zijn holletje van stro.'

Pimper die voor de haard lag te slapen, veerde plots overeind en ging met gespitste oren voor het raam staan. Ze mauwde.

'Stil Pimper,' zei Hannah, 'misschien wil Bol naar binnen. Of Olivier.'

Pimper bleef klaaglijk miauwen.

'Verdorie!' riep Peter. 'Kijk! Daar op de muur!' Hij opende het raam. De wind rukte aan de gordijnen. De vlammen in de haard flakkerden.

Peter ging uit het raam hangen en riep: 'Kssj! Weg jij!'

'Het was toch niet Moffat de Jonge?' zei Hannah.

Peter kreeg het raam met moeite weer dicht.

'Dat kon ik niet zien,' zei hij. 'Ik zag alleen een zwarte schaduw.'

'Zullen we Pluisje dan toch maar binnenhalen?' zei Hannah.

'Pluis zit veilig in zijn hok,' zei Peter.

*

Die avond kon Hannah niet slapen. Ze luisterde naar de wind die tegen het raam beukte. Ze dacht aan meneertje Pluis, helemaal alleen buiten, in zijn hokje. Een eenzaam, bibberend hoopje konijn.

Toen ze eindelijk in slaap viel, droomde Hannah over de tuin. Die zag er mistroostig uit. Het had pas gestormd. De lucht hing nog vol verwaaide wolken, er was geen straaltje zon te zien. Onder de perenboom lag een afgescheurde tak. De boom was één van zijn grijparmen kwijt. Op de muur zat een zwarte schaduw met grijnzende tanden.

Zo ziet de dood eruit, dacht Hannah in haar droom. Ze liep naar het hok van Pluis. Wat ze zag, klopte niet. Voor het hok lag een grote berg stro. Toen ze dichterbij kwam, zag ze dat de kop van Pluis door het gaas stak: het konijn lag half buiten het hok en keek haar aan met bange ogen. Pluis was aan een nieuwe ontsnappingstruc begonnen, maar die was mislukt. Hij was halverwege blijven steken en kon niet meer voor- of achteruit.

'Dom konijntje,' zei Hannah in haar droom, 'ik zal je helpen.'

Hannah deed het hok open. Pluis lag heel stil. Hannah wrikte het gaas los en bevrijdde het konijn dat roerloos op het stro bleef liggen. Hij keek naar Hannah met wijd opengesperde ogen.

Dit klopt niet, dacht Hannah, er is iets verschrikkelijk mis.

Hannah pakte het konijn op: Pluis hing als een slap doekje in haar hand. Hij kon zijn kop niet meer optillen.

Hij is verlamd, dacht Hannah en ze schreeuwde het uit: 'Je mag niet doodgaan, Pluis!'

Hannah keek naar de lucht alsof van daar de redding zou komen. De wolken bewogen. Oma Peperkoek poetste met een stofdoek een gat in de wolken. Toen vloog ze erdoorheen. Oma kon vliegen zonder vleugels! Haar haar was gegroeid. Het was niet meer wit maar van goud en het glansde onnatuurlijk, alsof er een stralenkrans om haar hoofd zat. Oma droeg iets in haar handen. Toen ze dichterbij kwam, zag Hannah dat het een bakje vol goudgeel stro was.

Oma Peperkoek stond plots naast Hannah. Op blote voeten.

'Heb je het niet koud, oma?' vroeg Hannah bezorgd.

'Ik heb het nooit meer koud en ik heb ook nooit meer pijn' zei oma. 'Leg Pluisje hier maar in.'

Oma stak haar het bakje toe. Hannah huilde. Ze legde Pluis in het bakje en dekte hem onder.

'Mooi slapen,' zei oma.

Pluis deed zijn starende oogjes toe.

'Wat gaat er nu gebeuren?' vroeg Hannah.

'Een konijn moet kunnen springen en oma Peperkoek moet kunnen dansen. Weet je dat mensen en konijnen in het diepst van hun gedachten altijd jong blijven?' zei oma. 'Ik neem Pluisje mee.'

'Waar ga je naartoe?' vroeg Hannah.

'Diertjes gaan vroeg of laat dood, dat weet je toch?' zei oma Peperkoek. 'Pluis was een heel bijzonder konijn. Je zult hem nooit vergeten. Je weet toch hoe het met Gringo gaat? Als je aan hem denkt, lijkt het net of hij tot leven komt. Zo zal het ook met Pluisje gaan. Als er iemand dood is, kun je altijd aan hem blijven denken. Een mens kun je zelfs nog horen praten in je hoofd. Ik kan mijn eigen grootmoeder nog horen. Dat was een lief mens. Ze noemden haar de Engel van Luik. Ik weet nog heel goed hoe ze was. Ze is altijd bij me gebleven omdat ik haar heel graag mocht. Niet huilen, Hannahtje. Kijk, Pluisje is al in de hemel.'

Het bakje was leeg…

'Pluis is nu een konijn met vleugeltjes,' zei oma Peperkoek.

Hannah zag het voor zich.

'Heeft hij witte of grijze vleugels?' vroeg ze.

'Witte,' zei oma Peperkoek, 'engelen hebben altijd witte vleugels.'

Hannah keek naar boven. Ze zag een wolk in de vorm van een gevleugeld konijn langs de hemel drijven. Toen ze weer naar oma Peperkoek keek, was die verdwenen.

Hannah werd met een schok wakker. Haar kussen was nat. Ze had gehuild in haar slaap. Zes uur. Veel te vroeg om op te staan, maar Hannah stond toch op. Ze liep op haar tenen naar beneden, deed de achterdeur open en liep naar het hok van Pluis.

Meneertje Pluis was al wakker. Hij zat tevreden aan zijn hooi te knabbelen.

'Gek meneertje,' zei Hannah terwijl de tranen in haar ogen sprongen. 'Mooi konijn. Je leeft nog!'

Kerstmis in De Pimpernel

Niemand kon een kerstboom zo mooi versieren als Anna Rozenboom. Maar dit jaar viel het haar zwaar om de boom op te tuigen. Ze miste haar publiek. Als Anna de kerstboom versierde, was Gringo daar niet van weg te slaan.

'Weet je nog dat Gringo dol was op Kerstmis?' zei Anna tegen Peter.

'Hij dacht dat we die boom speciaal voor hem in huis haalden,' zei Peter.

'Hij was dol op de geur van dennentakken,' zei Anna. 'De geur van natuur en zo...'

'Hij was gek op cadeautjes,' zei Hannah. 'Zal ik je helpen mama?'

'Echt helpen?' vroeg Anna. 'Niet alleen de lege plekken zoeken in het groen, maar echt mee versieren?'

'Alsjeblief?' zei Hannah.

'Vooruit dan maar,' zei Anna.

Hannah kreeg een warm gevoel.

Nu word ik echt groot, dacht ze.

Hannah en Anna maakten van een gewone boom een sprookjesboom door de lichtjes te groeperen als sterren aan de hemel. Een ouderwetse piek in de top. Engelen, kermispaarden, tovenaars, elfen, kerstmannen en trompetten kregen allemaal een plekje. Hannah koos kerstballen uit die niet te opzichtig blonken maar bescheiden glansden tegen het groen. En toen kwam het moeilijkste: blauwe glitter-sliertjes op het eind van de takken. Niet te weinig. Niet te veel. Alsof er bevroren dauw uit de lucht was gevallen.

Toen de boom eindelijk klaar was, wachtten Hannah en Anna op de goedkeuring van Peter. De boom was pas goed als hij zei: 'Dit is de mooiste boom die ik ooit gezien heb.'

Peter draaide altijd hetzelfde kerstliedje als de boom klaar was en alle kaarsen in de huiskamer waren aangestoken. En daarop dansten Hannah, Anna en Peter rond de tafel. Pimper kroop onder de kast. Bang als ze was dat die wilde bende op haar pootjes zou trappen.

In De Pimpernel was Kerstmis altijd wit. Buiten mocht het waaien en regenen, als je naar de kerstboom keek, was het alsof het winterde. Alsof de sneeuw zich ophoopte tegen het raam. Alsof je je naar buiten moest graven om eten in te slaan.

*

'Oma Peperkoek komt elk jaar met Kerstmis bij ons eten,' zei Hannah. 'Komt ze dit jaar ook?'

'Oma voelt zich erg zwak,' zei Peter, 'maar ik hoop dat ze komt, ik zal het haar vragen.'

'Hebben jullie nog steeds ruzie?' vroeg Hannah.

'Ken je de uitdrukking: vrienden mogen kijven, maar ze moeten vrienden blijven?' zei Peter. 'Die uitdrukking geldt zeker ook voor familie.'

'Ik zal je nog een uitdrukking leren,' zei Anna: 'we hebben alles met de mantel der liefde bedekt. Dat wil zeggen: alles is vergeten en vergeven.'

'En oma dan?' zei Hannah. 'Heeft zij ook alles vergeten en vergeven?'

'Oma houdt zielsveel van ons,' zei Peter. 'Ze vindt het

alleen een beetje moeilijk om dat altijd te laten zien. Ze heeft zo veel pijn. En ze is bang.'

'Is ze bang?' zei Hannah verschrikt.

'Het is heel erg als je altijd pijn hebt,' zei Peter, 'en als je weet dat je niet meer kunt genezen.'

'Ik wil dat oma met Kerstmis komt,' zei Hannah. 'Ze moet komen.'

Oma Peperkoek voelde zich niet goed: ze had een keelontsteking, stekende pijn in haar rug en ze kon bijna niet meer op haar benen staan. Ze had het altijd koud en het weer was erg guur. Het soort weer dat gretig aan broze botten knaagt.

Maar toch kwam ze Kerstmis vieren in De Pimpernel. Ze was met geen paardenkracht tegen te houden. Kerstmis in De Pimpernel wilde ze voor geen goud missen.

Voetje voor voetje schuifelde oma aan de arm van Peter over de drempel. Ze viel Anna om de hals en ze knuffelde Hannah tot het pijn deed.

'Ik heb jullie zo gemist,' zei ze met tranen in haar ogen.

En tegen Anna: 'Het spijt me Annaatje. Ik ben zo stout geweest.'

'Je was niet stout, oma,' zei Anna. 'het was de schuld van die peppillen.'

'Mijn hoofd leek wel een paardenmolen,' zei oma. 'Die pillen zijn vergif. Ik neem die troep nooit meer.'

Oma keek uitdagend naar Peter met een blik van: spreek me niet tegen! Ze gaf er de voorkeur aan om te doen alsof het stoppen met die behandeling haar eigen beslissing was geweest.

'Hoe is het nu met je, oma?' vroeg Hannah bezorgd.

Oma leunde zwaar op Hannahs schouder. Ze kwam slechts met moeite vooruit.

'Ik mag niet klagen, schat,' zei ze.

'Mag je nog steeds niet klagen?' zei Peter. 'Van wie dan niet?'

De hele dag lag er een glimlach om oma Peperkoeks mond die soms wat verkrampte als ze een pijnlijke steek kreeg in haar been of rug. De glimlach bleef wel glanzen in haar ogen.

'Ik ben zo gelukkig dat ik bij jullie ben,' zei ze.

Ze meent het, dacht Hannah verbaasd. Ze is niet meer boos op ons. Alles is weer koek en ei. Voor oma is alles ook vergeten en vergeven.

Volwassenen zijn vreemde wezens, dacht Hannah. Hoe kan alles nu weer goed zijn zonder erover te praten? Omdat het Kerstmis is?

Hannah keek naar Anna die druk in de weer was in de keuken. Ze zoemde een kerstlied en zag er tevreden uit. Haar moeder was echt blij dat oma weer even in huis was.

Hannah keek naar Peter die plaatjes op de oude draaitafel legde. Muziek speciaal voor oma. Ook hij zag er tevreden uit.

'Dit liedje draaiden ze op de kermis als ik met de bots-auto's ging rijden,' zei oma.

En bij het volgende: 'Oh, en op dit liedje heb ik in de oorlog mijn schoenen aan flarden gedanst.'

'Dansten de mensen in de oorlog?' zei Hannah.

'Waarom niet? Als je danst, vergeet je al je zorgen. Vroeger, als ik ruzie had met je opa, deed ik de gordijnen dicht als hij de deur uit was, en dan danste ik tot ik er bijna bij neerviel.'

'Waarom deed je de gordijnen dicht?'

'Voor de buren,' zei oma. 'Wat zouden die wel gedacht hebben als ze mij in mijn eentje rond de tafel hadden zien hossen?'

'Tegenover ons woonden drie nonnetjes,' zei Peter. 'Je wilde niet dat zij het zagen.'

'Kwezels kennen hun wereld niet,' zei oma wijs.

'Wil je nu dansen?' zei Peter.

Hij pakte oma galant bij de hand en trok haar overeind.

Oma maakte guitige handgebaren en deed een paar schuifelende steppasjes. Maar ze liet zich algauw weer op de sofa zakken.

'Ik kan het niet meer, schat,' weerde ze lachend af.

Hoe kan oma daar nu om lachen, dacht Hannah. Oma die niet meer kon dansen, dat was toch afschuwelijk?

'Alles heeft zijn tijd,' pufte oma, 'en ik heb mijn tijd gehad.'

Peter aaide over de koppige korte haartjes die op oma's schedel groeiden.

'Nog lang niet,' zei hij.

Kijk nu, dacht Hannah, het lijkt alsof er nooit ruzie is geweest.

Ze streelde Pimper die voor de verandering eens rustig op haar schoot lag. Pimper spinde luidruchtig.

'Ben jij ook al in kerststemming?' bromde ze tegen de kat.

Plots veerde Pimper op. Ze zette zich met haar scherpe klauwtjes af op de benen van Hannah.

'Auw!' zei Hannah.

'Strikjes!' zei Pimper.

'Pakjes,' zei oma Peperkoek met een schittering in haar ogen.

Anna kwam de kamer in met een zware mand vol pakjes.

In de mand zaten ook de cadeautjes die oma Peperkoek had meegebracht.

Hannah kreeg van oma een buitelend, keffend hondje dat op batterijen werkte. Daar ben ik veel te groot voor, dacht Hannah, maar ze hield haar mond. Oma vond haar cadeau voor Hannah prachtig. Ze kon er niet genoeg van krijgen.

'Nu kun je die vieze frisbee weggooien, Hannahtje,' zei ze.

'Je bedoelt mijn furby, oma,' zei Hannah. 'Mijn furby is stuk.'

'Dan heb je nu een hondje,' zei oma. 'Eentje die je niet zindelijk hoeft te maken.'

'Mag Pluisje binnen?' vroeg Hannah verlangend.

Ze vroeg het vooral aan oma, want van oma mocht het nooit.

'Vooruit dan maar,' zei oma. 'Ik heb dat gekke konijn al lang niet meer gezien.'

Hannah bracht Pluisje binnen, hij lag met gesloten ogen in haar armen.

'Kijk toch eens,' zei oma.

'Wil je Pluis zelf eens vasthouden?' zei Hannah.

'Dat kan ik niet,' zei oma.

'Vast wel,' zei Hannah, en ze legde Pluis voorzichtig in oma's armen.

Meneertje Pluis lag heel stil, maar hij keek oma aan met een vinnige blik.

'Hoe lief,' zei oma ontroerd.

'Ik heb laatst over jou en Pluis gedroomd, oma,' zei Hannah.

'En was het een mooie droom, schat?' zei oma.

'Eigenlijk wel,' zei Hannah bedachtzaam.

Oma Peperkoek was snel moe. Haar voeten en handen werden blauw van de kou. Toen Tante Loes haar kwam halen, pakte Anna haar dik in voor ze naar buiten ging.

Naast tante Loes was oma een nietig figuurtje. Haar hoofd kwam net boven het dashboard uit, en haar handje zwaaide tot de auto uit het zicht verdwenen was.

*

Een paar dagen na nieuwjaar stond Hannah 's avonds voor haar slaapkamerraam. De hemel was oranje. Ze deed het raam open en ademde de avondlucht in. Ze leunde naar buiten en keek omhoog. Er hing een donsdeken vol sneeuw in de lucht.

Peter had een lange slinger met gekleurde lampions rondom de boomhut en in de takken van de perenboom gehangen. In het schijnsel van de lampen zag Hannah Pimper en Bol naast elkaar op de tuinmuur zitten. Bol miauwde, maar Hannah kon hem niet verstaan. Wat zou hij te vertellen hebben?

Hannah dacht aan Gringo en Poef. Ze dacht aan oma Peperkoek die op kerstdag tot op het bot vermoeid, maar dolgelukkig vertrokken was met haar nieuwe schapenwollen pantoffels onder haar arm.

Hannah stak haar hand uit en wachtte geduldig.

Niet willen, gewoon wachten, dacht ze.

Na een paar minuten vielen de eerste vlokken naar beneden. Hannah deed het raam open.

'Het sneeuwt, het sneeuwt!' riep ze.

Pimper ging op de tuinmuur op haar achterpootjes staan en probeerde de vlokken in hun vlucht te vangen.

'Veertjes, veertjes,' riep ze opgewonden.

Bol tuurde naar boven.

'Veertjes, maar geen vogel te zien,' bromde hij.

Peter Peperkoek en Anna Rozenboom kwamen naar buiten.

'Het sneeuwt!' riep Peter naar Hannah.

Anna zwaaide.

'Het sneeuw, het sneeuwt!' riep Hannah als een echo terug.

Peter deed een vreugdedansje. Hij gooide zijn benen omhoog en deed alsof zijn armen eendenvleugels waren.

Hij zong:

Jezuke schudt zijn beddeken uit
en laat de pluimkes vliegen –
hier en daar en overal
tot bij de koetjes in de stal.

Hannah maakte een kleine bal van de sneeuw die op de vensterbank lag. Ze mikte. Pal in de nek van Peter!
'Raak!' zei ze.
Peter gooide een sneeuwbal terug, maar miste.
Mevrouw Liflafje deed haar raam open.
'Bolleke, kom toch binnen,' riep ze. 'Het is veel te koud.'
'Maak je geen zorgen, mevrouw Liflafje,' zei Anna, 'poezen kunnen best tegen de kou. Ze hebben winter en zomer een bontjas aan. Trouwens: ik denk dat Pimper en Bol wel iets anders aan hun hoofd hebben.'
De twee katten zaten dicht naast elkaar op de tuinmuur.
'Ze zijn dikke vrienden,' zei mevrouw Liflafje vertederd.
'Gewoon vrienden?' zei Anna ondeugend.
Het licht ging aan in de slaapkamer van de familie De Lelie. Mevrouw De Lelie drukte haar neus tegen het raam. Ze keek afkeurend naar de sneeuw en schudde haar hoofd toen ze mevrouw Liflafje en Hannah uit de ramen zag hangen. Ze keek met een zuur gezicht naar Peter en Anna beneden in de tuin.
Peter pakte Anna beet en sleurde haar mee in een gekke dans. Hij zwaaide vrolijk naar mevrouw De Lelie. De sneeuw viel nu in dikke vlokken.
Meneer De Lelie verscheen als een donkere schaduw achter zijn vrouw. Zijn brede gezicht kwam dichter bij het raam. Hij tikte tegen zijn voorhoofd.

*

Hannah deed die nacht bijna geen oog dicht. Ze wachtte ongeduldig op de ochtend. Ze zouden vast gaan sleeën in het park. Ze liep een paar keer naar het raam om te kijken of het nog steeds sneeuwde. De takken van de perenboom waren helemaal wit en op de tuinmuur lag wel tien centimeter. Terug in haar bed luisterde ze naar de treinen. Alle geluid werd door de sneeuw gedempt.

Hannah lag te gloeien in haar bed, warm als een kooltje. Niet van koorts, maar van geluk.

'Ik hoor thuis in De Pimpernel,' fluisterde Hannah tegen het oranje sneeuwlicht. 'En ik wil blijven sleeën en spelen in de sneeuw tot ik tachtig ben.'

Oma Peperkoek zei in mijn droom dat mensen jong blijven in het diepst van hun gedachten, ook als ze oud zijn, dacht Hannah. Ik ben blij dat mijn ouders nog van sneeuw houden. Ze dansen erin en schamen zich niet voor de buren. Wat geeft het dat ze anders zijn dan de anderen? Iedereen is anders.

*

Voor ze in slaap viel, dacht Hannah: ik volg een sneeuwvlokje omdat ik weet dat het zal smelten. Dat is het geheim van sneeuw! In de dwarrelende sneeuw lijken alle vlokken hetzelfde, maar als je goed kijkt is elk sneeuwvlokje verschillend.

6 januari

Het jaar was pas zes dagen oud. De drie koningen bezochten de stal met wierook, goud en mirre.

Die nacht was de sneeuw tot een bruine drab gesmolten.

Op het perron kwam een man te vroeg voor de trein, en een vrouw kwam te laat.

Op straat liepen de mensen haastig voorbij, maar in De Pimpernel stond alles stil om kwart voor zeven.

Oma Peperkoek was opgehouden met leven.

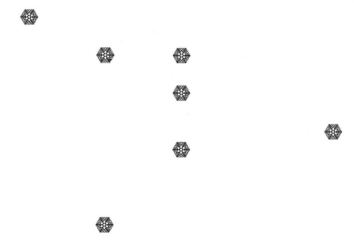

Hoe kan ik ooit weer gelukkig zijn, dacht Hannah.

3 april van hetzelfde jaar

*Pimper en Bol melden met vreugde de geboorte
van vier gestreepte poesjes:*

*Stoere Klaas en Lancelot
Spooky en de kleine Sushi*

Dit is de mooiste dag van mijn leven, dacht Hannah.

Geheimen van de wijde zee

Noëlla Elpers

Vanaf 12 jaar
ISBN 90 00 03525 2
NUR 284

Jonathan komt uit Vlaanderen, Alison uit Schotland en Yorrick uit Groenland. Door toedoen van hun ouders brengen ze samen een lange zomer door op Heimaey, een klein vulkanisch eiland voor de kust van IJsland, waar vuur en ijs zich verenigen.
Op Heimaey vallen jonge papegaaiduikers uit de lucht, drijven ijsbergen voor de kust, borrelen vulkanen én wordt een ijsbeer gesignaleerd.
In deze fascinerende, ruige omgeving proberen Alison, Yorrick en Jonathan een verbond te smeden. Eén voor één moeten ze laten zien dat ze hun grootste angsten kunnen overwinnen.

Geheimen van de wijde zee is een intrigerend boek dat als zuivere sneeuw begint te gloeien in je hand.

De pers over *Geheimen van de wijde zee*:

'*Geheimen van de wijde zee* is een origineel verhaal over vriendschap en het omgaan met verschillen.'
NRC *Handelsblad*

'*Geheimen van de wijde zee* heeft wat weg van een sprookje voor iets oudere kinderen. Intens en poëtisch van toon.'
BN *de Stem*